ジーンとくる生き方

まなべあきら著　B６判　115頁 714 円

けっこう楽しい生活をしている。しかし心のどこかに空しさを感じている。もっと心にしみとおるようなジーンとくる生き方がしたい！　そんな生きがいを求めている人のために、わかりやすく書いた本です。

（目次紹介）

子どもの体力と創造力

まなべ　あきら著

B六判　155頁　定価1630円（本体1553円）送料260円

スポーツがさかんな現代なのに、なぜ、朝からあくびする子、家の中に閉じこもりがちの子、姿勢がしっかりしないグニャグニャの子、意欲のない子が多いのか。この本では、現代の子どもたちの体力と創造力に焦点を合わせています。

（内容）

心の平安

まなべ　あきら著

Ｂ６　５３頁　４４1　円（送料２４０円）

マタイの福音書１１章２８節は、日本のクリスチャンの７０％以上の人が、救いに導かれるために心に感動を覚えた聖句です。本書は、この聖句から「心の平安」を持つための秘訣を、多くの経験をまじえて、分かりやすく解き明かしています。求道者や信仰を持って間もない方へのプレゼントにも最適です。

１章　疲れた人、重荷を負っている人

２章　休ませてあげます。

３章　わたしから学びなさい。

愛の絆によって

まなべ　あきら著

Ｂ６　１０７頁　609　円（送料　310円）

しあわせは、偶然になれたり、なれなかったりするものではありません。あなたがこの本に記されているルツのような人になりさえするなら、必ずしあわせになることができます。この本は、現代人が失っている、しあわせのための心の条件をルツ記から具体的に拾い出して説き明しています。

（目　次　紹　介）

1．ヨーイ・ドンで間違うと
2．希望の光は見えないが
3．神にもどる旅
4．野心なしの積極的な求め
5．出会いはいつも不思議なもの
6．致せり、尽せり
7．さらに勝る恵み
8．希望の光が見えてきた
9．こよなく愛される「はしため」
１０．私があなたを買い戻します
１１．お金があっても、権利があっても、愛がなければ
１２．願いに勝るしあわせ

教会学校生徒のためのいのり

まなべ あきら 著

みことばの黙想

(1)　創世記　B6判　174頁　1029円　送料220円

この本は、創世記の中から108の聖句を選んで、文脈に沿って、心に力が得られるように記されています。

(2)　出エジプト記1〜20章　B6判　202頁　2038円　送料220円

力のことば（上記の「みことばの黙想」の続きです。本になっていません。A4シートです。）

(1)　出エジプト記21〜40章　A4シート　68頁　1000円　送料220円

(2)　レビ記　A4シート　84頁　1500円　送料220円

(3)　民数記　A4シート　133頁　2660円　送料220円

(4)　申命記　A4シート　107頁　2000円　送料220円

メッセージ・プリント（説教を書き記したものです。）

(1)　ローマ人への手紙　A4シート　712頁　15，000円

小包4Kgまでです。送料は距離によって異なりますので、郵便局でお尋ねください。

(2)　雅歌　A4シート　158頁　3160円　送料380円

解説プリント

(1)　預言書　A4シート9頁　ホセア書　A4シート62頁　両方で1400円送料220円

（信徒訓練テープ）

祈りによる伝道(60分テープ　9本セット　5000円送料含む　1本ずつの分売はしません。)

1信仰の祈り手、2祈りの約束、3祈りの実、4祈りに確信を持て、5祈りにおける交わり、6キリストのみ名によって祈る、7どのように祈るべきか、8祈りの答え、9祈りの障害物、10祈りは神の子どもに与えられた特権

ご希望の方は、代金前納でお申し込みください。

この本《ほん》のつかいかた

毎日《まいにち》、あさとよる、しずかに神様《かみさま》に、おいのりしましょう。

1、まず、おいのりする時間《じかん》をきめましょう。

あさ……　　時《じ》　　分《ぷん》から

よる……　　時《じ》　　分《ぷん》から

2、その時《とき》によむ聖書《せいしょ》のことばを、自分《じぶん》の聖書《せいしょ》をひらいてよんでください。

3、おいのりの時《とき》に、この本《ほん》を一ページよんでください。そのほかに自分《じぶん》のねがいがあれば、それもおいのりしてください。

4、おいのりが終《お》わったら、「いのりのカード」のその日《ひ》のところに○をつけてください。

一ケ月《げつ》ぜんぶ終《お》わったら、「いのりのカード」を教会学校《きょうかいがっこう》の先生《せんせい》にわたして、新《あたら》しい「いのりのカード」を受《う》け取《と》ってください。

5、この本《ほん》は、31日分《にちぶん》ですが、終《お》わったら、またはじめから、くりかえします。

6、たいせつに、つかってください。

1日 あさ

聖書《せいしょ》をひらきましょう。
『み言葉《ことば》にしたがって、それを守《まも》るよりほかにありません。』詩篇《しへん》119篇《へん》9節《せつ》

天《てん》のおとうさま（神様《かみさま》）、きょう一日《いちにち》、いつも、あなたのことを思《おも》っていることができますように。この朝《あさ》のいのりがおわったら、すぐにイエスさまのことを、忘《わす》れてしまわないように、わたしの心《こころ》をお守《まも》りください。

いじわるや、ケンカや、悪《わる》いことを考《かんが》えないで、清《きよ》い心《こころ》にしてください。

家《いえ》の人《ひと》や、友《とも》だちと、話《はな》すときも、おだやかに、ウソをつかないようにしてください。

勉強《べんきょう》する時《とき》には、いっしょうけんめいに勉強《べんきょう》し、遊《あそ》ぶ時《とき》にもいばったりしないでなかよく楽《たの》しく遊《あそ》ぶことができますように。

いじめられたり、心配《しんぱい》になったり、うたがいの気持《きもち》がおそってきた時《とき》には、すぐに助《たす》けてください。そして、いつも、わたしの心《こころ》の力《ちから》となってください。いつも心《こころ》をやすらかにしてください。

いつも、わたしが心《こころ》の中《なか》で考《かんが》えることと、すべての行《おこな》いを、イエス様《さま》が見《み》ておられることを、思《おも》い出《だ》させてください。イエス様《さま》のお名前《なまえ》によって、おいのりします。アーメン

まなべあきらの本

まなべあきらの本は、手あかで真っ黒になるまで読んでいる人も大勢います。あなたもぜひお読みください

<既刊図書>

1 悩みに勝つ力2100円
2 知られざる力1050円
3 今日を生かせ 386円
4 心の平安 441円
5 実りある生活の秘訣 1029円
6 人を動かす愛(対人関係の秘訣) 693円
7 ジーンとくる生き方 714円
8 自己建設 924円
9 みことばの黙想1(創世記) 1029円
10 みことばの黙想2 出エジプト記1-20 2038 円
11 心を満たす祈り 509円
12 愛の絆によって 609円
13 最高の生き方 897円
14 仕事に挑戦1050円
15 聖書が答える死と未来 504円
16 結婚へのアドバイス 1630円
17 宇宙の終末 788円
18 敬虔な生活の訓練 3670円.
19 クリスチャンの 成長の 秘訣 2,752 円
20 日本人のための福音入門 895円
21 救われる為の実際方法 577円
22 聖書から学ぶ救いの道 157円
23 子どもの心を育てる 924円
24 妻の役目 1260円
25 家庭の幸福と子供のしつけ 998円
26 父と子のふれ合いの秘訣 504円
27 子どもの体力と創造力 1630円
28 家庭でできる創造的人格教育1890円
29 勉強ができる子できない子1890円
30 中高生へのアドバイス 998 円
31 さると人間 63円
32 CSの はてな 591円
33 CSの ちから 591円
34 CSの いのり 305円
35 CSの 日日のみことば441円
36 CSの あい 472円
37 おさなごのいのり 504円
38 弟子ゲーム 157円
39 うれしくて 714 円

(以下は直接、当部にご注文ください)

① 個人伝道冊子「幸福へのスタート」31円
② 「あなたはクリスチャンです」31円
③ 「上手な時間の使い方」52円
④ 成功のための15ケ条 105 円
⑤ だれにでもできる個人伝道の手引き52円
⑥ 「神との交わり」(毎日のディボーション) 315円
⑦ バイブル・クラス入門コース2「キリストにある生活」525 円
⑧ 〃 3「クリスチャン 生活の重要素」525 円

本を直接、当文書伝道部にご注文下さる時は、3千円以上は送料無料です。(文書伝道の為、使わない切手や書き損じの葉書を献げていただけると幸いです。葉書はそのままお送り下さい。)
出版案内は、切手270円を同封してお申し込み下さい。

(申込先) 〒233横浜市港南区上永谷5—22—2
地の塩港南キリスト教会文書伝道部
電話・FAX 045(844)8421 郵便振替00250-1-14559

クリスチャンの成長の秘訣

まなべ　あきら著　B6　269頁　定価2752円　送料310円

(内　　容)

1日よる

聖書《せいしょ》をひらきましょう。
『心《こころ》を騒《さわ》がせないがよい。神《かみ》を信《しん》じ、またわたし（イエス様《さま》）を信《しん》じなさい。』ヨハネによる福音書《ふくいんしょ》14章《しょう》1節《せつ》

いつまでもかわらない神様《かみさま》、きょう一日《いちにち》、お守《まも》りくださって、ありがとうございます。もう、よるになって、くらくなりました。このよるも、ぐっすりねむることができますように。ねむれない時《とき》でも、いらいらしたり、心《こころ》がかきまわされないで、やすらかでいられますように。おそろしいゆめを見《み》たり、病気《びょうき》になったりしないように、お守《まも》りください。

神様《かみさま》、どうか、家《いえ》の人《ひと》（名前《なまえ》を言《い》っていのりましょう）や、友《とも》だちの……くんと……さんのために、おいのりします。

病気《びょうき》の人《ひと》や、旅行《りょこう》をしている人《ひと》や、この町《まち》のひとびとを、みんなお守《まも》りください。まだイエス様《さま》を信《しん》じていない人《ひと》が、ひとりでも多《おお》く、イエス様《さま》を信《しん》じるように、おいのりします。

イエス様《さま》のお名前《なまえ》によって、おいのりします。アーメン

2日 あさ

聖書《せいしょ》をひらきましょう。
『自分《じぶん》のことばかりでなく、他人《たにん》のことも考《かんが》えなさい。』ピリピ人《びと》への手紙《てがみ》2章《しょう》4節《せつ》（1～11節《せつ》もよんでください。）

天地《てんち》のつくりぬしである神様《かみさま》、きょうも、わたしを助《たす》けてください。あさのすがすがしさや、健康《けんこう》なからだ、いろいろなたのしいことは、みんな、あなたがくださったものです。それなのに、わたしは、ときどき神様《かみさま》を忘《わす》れて、そのようなものをたのしんでしまいます。よいものは、ぜんぶ神様《かみさま》がくださったことを、しっかりとおぼえていることができますように。

そして、ひとりぼっちの人《ひと》や、弱《よわ》い人《ひと》や、病気《びょうき》の人《ひと》や、まずしい人《ひと》に、しんせつにしてあげられるように、勇気《ゆうき》をおあたえください。

よくばりの心《こころ》をおこしたり、自分《じぶん》だけでたのしみたいというような心《こころ》にならないようにしてください。

イエス様《さま》は、わたしを救《すく》うために、天《てん》でもっておられた、すべてのよいものをすてて、十字架《じゅうじか》にかかってくださったことを思《おも》い出《だ》させてください。

イエス様《さま》のお名前《なまえ》によって、おいのりします。アーメン

まなべあきらのメッセージテープ

まなべあきらのメッセージテープは、直接当文書伝道部だけで取り扱っています。代金前納でお申し込み下さい。

[バイブル・メッセージ・テープ]

(旧約)

1.創世記 40 本（1,7～11章がありません）
2.I II サムエル 79 本（3 本抜けている）
3.I 列王記～I II 歴代誌 75 本
（2 本抜けている）
4.エズラ記、ネヘミヤ記 29 本
5.エステル記 17 本
6.詩篇
1～74 篇 59 本（75～91 は進行中）
92～150 篇 37 本
7.雅歌 26 本　13,000 円
8.哀歌 20 本 10,000 円

(その他)

1.天国 4 本（No.1 なし）
2.ヘブル 11 章「信仰の章」23 本セット 11,500 円
（ヘブル人への手紙の連続説教の中からのメッセージです）
3.I コリント 13 章「愛の章」14 本セット 7.000 円
（I コリントの連続説教の中からのメッセージです）
4.I コリント 15 章「復活の章」14 本セット 7,000 円
（I コリントの連続説教の中からのメッセージです）
5.ローマ 8 章「勝利の章」14 本セット 7,000 円
（ローマ人への手紙の連続説教の中からのメッセージです）
6.元旦礼拝 21 本
7.受難週 2 本
8.復活節 14 本
9.イースターフェスティバル 11 本
10.クリスマス 27 本
11.クリスマス・スペシャル 12 本
12.五旬節 5 本
13.宣教会（チャレンジ・アワー）12 本
14.感謝 1 本
15.バイブル・スペシャル 12 本
16.さんびスペシャル 3 本
17.悪魔の策略と神の武具 36 本セット 18,000 円（エペソ人への手紙の中からのメッセージです）

(新約)

1.マタイ 114 本
2.マルコ（現在なし）
3.ルカ 200 本
4.ヨハネ 131 本
5.使徒 154本
6.ローマ 107 本
7.I コリント 102 本
8.II コリント 63 本
9.ガラテヤ 50 本
10.エペソ 139 本
11.ピリピ 49 本
12.コロサイ 61 本
13.I テサロニケ 45 本
14.II テサロニケ 23 本
15.I テモテ44本
16.II テモテ（現在なし）
17.テトス（現在なし）
18.ピレモン（現在なし）
19.ヘブル 139 本
20.ヤコブ 46本
21.I ペテロ13本（現在進行中）
22.II ペテロ（現在なし）
23.I ヨハネ 50 本
24.II ヨハネ 5 本
25.III ヨハネ 5 本
26.ユダ 17 本
27.ヨハネの黙示録 60 本

まなべあきらのメッセージテープ

［信徒訓練テープ］

1.効果的な話し方　11本5,500円
2.クリスチャンのカウンセリング　32本16,000円
3.司会者トレーニング　8本4,000円（送料別）
4.中学科教授法　26本13,000円
5.祈りによる伝道　9本5,000円
6.よい証人になる為の訓練　21本10,500円
7.プリ・スクール（未就学児）教育法　14本7,000円
8.CS教授法　27本13,500円
9.聖書の教え方　29本14,500円
10.文章の書き方　4本2,000円
11.児童人格教育学習会「子どもの体力と創造力5～12章」14本7,000円
12.児童人格教育学習会「家庭でできる創造的人格教育」42本21,000円
13.キリストの弟子　23本11,500円
14.成熟を目指して　12本6,000円
15.主の弟子になろう　10本5,000円
16.主イエスの救い　15本7,500円
17.福音宣教とは　13本6,500円
18.弟子たちの宣教　24本12,000円
19.弟子の役割　12本6,000円
20.主の宣教命令　10本5,000円
21.建設者の資質　57本28,500円
22.教会創立の使命　4本2,000円（送料別）
23.主の教会を建てよう　53本26,500円
24.クリスチャンのリーダーシップ　204本（進行中）
25.教師訓練セミナー　17本8,500円

［学び］

1.聖別会メッセージ　205本（進行中）
2.リバイバル聖別会メッセージ　63本31,500円
　（1.聖別会で扱っている部分の前の項目を扱っています）
3.聖書神学　228本114,000円　神論　キリスト論　聖霊論　人論天使論　悪魔論
4.教会史　189本94,500円　日本キリスト教史　4本2,000円

テープのご注文は必ず代金前納でお願いします。テープは60分も90分も、どちらも1本500円で、10本以上は送料無料です。9本までは送料実費ご負担下さい。

テープ・リストと出版案内をご希望の方は、270円切手を同封してお申し込み下さい。

2日よる

聖書《せいしょ》をひらきましょう。
『わたしのために清《きよ》い心《こころ》をつくり……』詩篇《しへん》51篇《ぺん》10節《せつ》（51篇《ぺん》ぜんぶをよんでください。）

天《てん》のおとうさま（神様《かみさま》）、きょう一日《いちにち》、わたしは、罪《つみ》とあやまちをしてしまいました。どうか、イエス様《さま》の十字架《じゅうじか》を、信《しん》じますから、おゆるしください。そして、もう一度《いちど》、わたしを愛《あい》して、力《ちから》を与《あた》えてください。

わたしは、自分《じぶん》できめたことも、よく守《まも》れないことがあります。よいことだと知《し》っていながら、わざとしないことがあります。わるいことだと知《し》っていながら、友《とも》だちにさそわれて、してしまったりします。自分《じぶん》にもできないことを、ほかの人《ひと》にさせようとしたりします。友《とも》だちがしたよいことを、あざわらったりします。イエス様《さま》、どうか、わたしに、清《きよ》い正《ただ》しい心《こころ》をお与《あた》えください。イエス様《さま》のお名前《なまえ》によって、おいのりします。アーメン

3日あさ

聖書《せいしょ》をひらきましょう。

『人々《ひとびと》があなたがたのよいおこないを見《み》て、天《てん》にいますあなたがたの父《ちち》をあがめるようにしなさい。』マタイによる福音書《ふくいんしょ》5章《しょう》16節《せつ》（1〜16節《せつ》までよんでください。）


わたしの命《いのち》をお守《まも》りくださる神様《かみさま》、この新《あたら》しい一日《いちにち》を、ありがとうございます。この一日《いちにち》を、大切《たいせつ》にいたします。きのう、おかした罪《つみ》をくりかえすことがないようにしてください。目《め》の見《み》えない人《ひと》が、道《みち》に立《た》ってまよっていたら、そのまま見《み》すてて行《い》ってしまうことがないように、勇気《ゆうき》を与《あた》えてください。

わたしの行《おこな》いによって、少《すこ》しでも人々《ひとびと》がイエス様《さま》を知《し》って、平和《へいわ》になりますように。

わたしの言葉《ことば》によって、悲《かな》しんでいる人《ひと》が、なぐさめられますように。

わたしのいのりによって、ひとりでも多《おお》くの人《ひと》が、天国《てんごく》にいけますように。


イエス様《さま》、どうか、このわたしに、やさしい心《こころ》と、しんぼうづよい心《こころ》と、きよい心《こころ》を、お与《あた》えください。

イエス様《さま》のお名前《なまえ》によって、おいのりします。アーメン

3日よる

聖書《せいしょ》をひらきましょう。
『そのとががゆるされ、その罪《つみ》がおおい消《け》される者《もの》はさいわいである。』
詩篇《しへん》32篇《へん》1節《せつ》（32篇《へん》ぜんぶをよんでください。）

もっともかしこく、もっとも力《ちから》のある神様《かみさま》、神様《かみさま》は、このわたしを、その知恵《ちえ》と力《ちから》と愛《あい》によって、神様《かみさま》のように、考《かんが》えたり、たのしんだり、しごとをしたくなったりすることができるように、つくってくださいました。

わたしが、イエス様《さま》を信《しん》じた時《とき》、たくさんの悪《わる》いことをしていたのに、心《こころ》によろこびと平安《へいあん》を与《あた》えてくださいました。どうか、この心《こころ》を、ずっともちつづけることができますように。

神様《かみさま》、わたしは、このような心《こころ》を、家《いえ》の人《ひと》や、友《とも》だちも、もつことができるように、おねがいします。

きょう、いっしょにあそんだ：：くんと：：さん、苦《くる》しんでいる：：さんと：：くんを、どうか助《たす》けてください。

このいのりを、おききくださいますように。

イエス様《さま》のお名前《なまえ》によって、おいのりします。アーメン

4日あさ

聖書《せいしょ》をひらきましょう。

『もし、わたしたちが自分《じぶん》の罪《つみ》を告白《こくはく》するならば、神《かみ》は真実《しんじつ》で正《ただ》しいかたであるから、その罪《つみ》をゆるし、すべての不義《ふぎ》からわたしたちをきよめてくださる。』ヨハネの第一《だいいち》の手紙《てがみ》1章《しょう》9節《せつ》（1章《しょう》ぜんぶをよんでください。）

なんでもできて、できないことのない神様《かみさま》、あなたは、わたしの目《め》には見《み》えません。けれども、わたしより、ずっとよいことを考《かんが》えておられるおかたです。

わたしは、心《こころ》の中《なか》で、あなたを知《し》っています。どうか、わたしを、がんこやいじっぱりになったり、カンカンにおこったり、いばったりする人《ひと》にならないで、天国《てんごく》に入《はい》るのにふさわしい人《ひと》にしてください。

たとい、しっぱいしたり、罪《つみ》をおかすことがあっても、イエス様《さま》の十字架《じゅうじか》によって、おゆるしください。そして、なんどもしっぱいをくりかえさないような人《ひと》にしてください。

イエス様《さま》がきらいなことはやめ、イエス様《さま》がよろこばれることは、いっしょうけんめいすることができますように。

イエス様《さま》のお名前《なまえ》によって、おいのりします。アーメン

4日よる

聖書《せいしょ》をひらきましょう。
『すべてのものは、神《かみ》の目《め》には裸《はだか》であり、あらわにされているのである。』
ヘブル人《びと》への手紙《てがみ》4章《しょう》13節《せつ》（1～13節《せつ》もよんでください。）

神様《かみさま》、あなたの目《め》には、なに一つかくすことができません。きょう、わたしがした、よいことも、わるいことも、ぜんぶ神様《かみさま》は知《し》っておられます。心《こころ》の中《なか》で考《かんが》えたことも知《し》っておられます。どうか、してしまった罪《つみ》をおゆるしください。
心《こころ》の中《なか》で思《おも》ったけがれた思《おも》い、
らんぼうな言葉《ことば》をつかったこと、
カッとなってケンカをしたこと、
兄弟《きょうだい》や友《とも》だちに、いじわるしたこと、
うれしかった時《とき》に、神様《かみさま》におれいを言《い》わなかったこと、
ブラブラして、なにもしなかったことなど、どうかおゆるしください。
天《てん》のおとうさま、わたしの家族《かぞく》や友《とも》だち、そして悲《かな》しんでいる人《ひと》や苦《くる》しんでいる人《ひと》のそばにいて、お守《まも》りください。
イエス様《さま》のお名前《なまえ》によって、おいのりします。アーメン

5日あさ

聖書《せいしょ》をひらきましょう。

『……神《かみ》の平安《へいあん》が、あなたがたの心《こころ》と思《おも》いとを、キリスト・イエスにあって守《まも》るであろう。』ピリピ人《びと》への手紙《てがみ》4章《しょう》7節《せつ》（4～7節《せつ》もよんでください。）

天《てん》の神様《かみさま》、けさもわたしは心《こころ》をあなたにむけています。あなたは、いつでも、おいのりする人《ひと》を助《たす》けてくださいました。心《こころ》に光《ひかり》を与《あた》えて、わるい罪《つみ》から守《まも》ってくださいました。

きょうも一日《いちにち》、わたしに力《ちから》を与《あた》えて、おみちびきください。

友《とも》だちが、いやなことを言《い》ったり、ケンカをしかけてきても、平和《へいわ》な心《こころ》で話《はな》すことができるようにしてください。

悲《かな》しいことや、苦《くる》しいことがおきても、力強《ちからづよ》くすすむことができるようにしてください。

アブラハムや、モーセや、ダビデのように、いつでも、イエス様《さま》を信《しん》じていることができるようにしてください。

イエス様《さま》のお名前《なまえ》によって、おいのりします。アーメン

5日よる

聖書《せいしょ》をひらきましょう。
『あなたがたの頭《あたま》の毛《け》までも、みな数《かぞ》えられている。』ルカによる福音《ふくいん》書《しょ》12章《しょう》7節《せつ》（1～12節《せつ》もよんでください。）

天《てん》の神様《かみさま》、このしずかな夜《よる》、おいのりできることを、ありがとうございます。きょう一日《いちにち》の中《なか》で、たのしかったことや、悲《かな》しかったことや、くやしかったこともありました。しかし、今《いま》は、心《こころ》をしずかにして、イエス様《さま》の愛《あい》がほしいのです。

どうか、どんなことでも、イエス様《さま》がどう思《おも》っておられるかを考《かんが》えてみることができるようにしてください。

わる口《くち》を友《とも》だちに言《い》ったとき、わる口《くち》を自分《じぶん》に言《い》われたとき、しんせつにしなかったとき、しんせつにしたとき、

自分《じぶん》がしんせつにされたとき、イエス様《さま》が、どう思《おも》われるか、考《かんが》えることができますように。

天《てん》のおとうさまは、わたしのかみの毛《け》の数《かず》まで知《し》っておられます。きょう一日《いちにち》、わたしをお守《まも》りくださり、ありがとうございました。

イエス様《さま》のお名前《なまえ》によって、おいのりします。アーメン

6日　あさ

聖書《せいしょ》をひらきましょう。

『わたしは道《みち》であり、真理《しんり》であり、命《いのち》である。』ヨハネによる福音書《ふくいんしょ》14章《しょう》6節《せつ》（1～17節《せつ》もよんでください。）


天《てん》のおとうさま、わたしたちに、イエス様《さま》をくださって、ほんとうにありがとうございます。

もし、イエス様《さま》がいなかったら、わたしたちは、天国《てんごく》にいくことができません。

もし、イエス様《さま》を信《しん》じていなかったら、わたしは天国《てんごく》にいくことができません。

もし、聖書《せいしょ》がなかったら、イエス様《さま》を知《し》ることができません。

もし、教会学校《きょうかいがっこう》がなかったら、イエス様《さま》のおしえを勉強《べんきょう》することができません。

ほんとうに、イエス様《さま》をくださって、ありがとうございます。

どうか、生《い》きているかぎり、イエス様《さま》を信《しん》じることができますように。

そして、いつもイエス様《さま》の子供《こども》として、はずかしくない言葉《ことば》や行《おこな》いをさせてください。

イエス様《さま》のお名前《なまえ》によって、おいのりします。アーメン

6日よる

聖書《せいしょ》をひらきましょう。

『われわれの神《かみ》に帰《かえ》れ、主《しゅ》は豊《ゆた》かにゆるしを与《あた》えられる。』イザヤ書《しょ》55章《しょう》7節《せつ》（6〜13節《せつ》もよんでください。）


正《ただ》しいことをよろこばれる神様《かみさま》、こんばんも、おいのりします。

どうか、心《こころ》の中《なか》で、神様《かみさま》にかくしているようなものがあれば、おしえてください。かくしていては、ぐっすりねむることができません。

どうか、いつでも、正《ただ》しいことを勇気《ゆうき》をもってすることができるようにしてください。

いつも、きよい心《こころ》をもつことができますように。

ひとのものが、ほしくなったり、うらやましがったり、おこった心《こころ》をもつことがないようにしてください。

たとい、わたしをいじめる人《ひと》がいても、その人《ひと》にしかえしをしようという気持《きもち》にならないようにしてください。そして、その人《ひと》にイエス様《さま》を、おしえてあげることができますように。

イエス様《さま》のお名前《なまえ》によって、おいのりします。アーメン

7日あさ

聖書《せいしょ》をひらきましょう。

『すべての事《こと》について、感謝《かんしゃ》しなさい。』テサロニケ人《びと》への第一《だいいち》の手紙《てがみ》5章《しょう》18節《せつ》（12〜28節もよんでください。）


すべてのものを、おつくりになった神様《かみさま》、おはようございます。あさの光《ひかり》とすがすがしい空気《くうき》を、ありがとうございます。小鳥《ことり》も、あなたをほめたたえています。

やさしいおとうさん、おかあさん、きょうだい、おじいさん、おばあさんを、ありがとうございます。

いっしょにあそぶ友《とも》だちを、ありがとうございます。

勉強《べんきょう》をおしえてくれる先生《せんせい》や、学校《がっこう》を、ありがとうございます。

でも、わたしのように元気《げんき》ではなく、病気《びょうき》の人《ひと》や、あさの光《ひかり》を見《み》ることのできない目《め》の悪《わる》い人《ひと》、悲《かな》しんでいる人《ひと》も、たくさんいます。どうか、そのような人々《ひとびと》を、お助《たす》けください。そして、心《こころ》の中《なか》に、イエス様《さま》の光《ひかり》を与《あた》えてあげてください。

イエス様《さま》のお名前《なまえ》によって、おいのりします。アーメン

7日よる

聖書《せいしょ》をひらきましょう。

『主《しゅ》を待《ま》ち望《のぞ》む者《もの》は新《あら》たなる力《ちから》を得《え》、………』イザヤ書《しょ》40章《しょう》31節《せつ》（27〜31節《せつ》もよんでください。）


いつまでもかわらない神様《かみさま》、わたしの心《こころ》を、あかるくしてください。

神様《かみさま》は、ぜんぜんつかれないおかたですから、つかれてよわっているわたしを、元気《げんき》にしてください。

これから、ねむりますが、どうかおまもりください。

ねるまえに、きょう一日《いちにち》、わたしがしたことを、もういちど反省《はんせい》してみます。

しなければならないことを、しませんでした。

わるい言葉《ことば》で、友《とも》だちをあざわらいました。

心《こころ》の中《なか》で、わるいことも考《かんが》えました。どうかイエス様《さま》の十字架《じゅうじか》によって、おゆるしください。

それなのに、神様《かみさま》はわたしを愛《あい》してくださり、両親《りょうしん》や友《とも》だちも、しんせつにしてくれました。ありがとうございます。このような人々《ひとびと》を、おめぐみください。

イエス様《さま》のお名前《なまえ》によって、おいのりします。アーメン

8日あさ

聖書《せいしょ》をひらきましょう。『あなたも行《い》って同《おな》じようにしなさい。』ルカによる福音書《ふくいんしょ》10章《しょう》37節《せつ》（25～37節《せつ》もよんでください。）

イエス様《さま》をくださった神様《かみさま》、どうかきょう一日《いちにち》、イエス様《さま》のように、することができますように。

わたしに、いやなことを言《い》ったり、いじわるをする人《ひと》を、きもちよく、ゆるすことができますように。

わたしがイエス様《さま》からいただいている、愛《あい》の心《こころ》を、ほかの人《ひと》にも教《おし》えてあげることができますように。

よいことをしたあとで、じまんしたりしないように。

正《ただ》しいことは、自分《じぶん》ひとりだけであっても、勇気《ゆうき》をもってすることができますように。

ほかの人《ひと》のわるいところを、さがしだして先生《せんせい》や両親《りょうしん》に言《い》いつけて、とくいになることがないように。

心《こころ》の中《なか》のイエス様《さま》を、わすれてしまうことがないようにしてください。

イエス様《さま》のお名前《なまえ》によって、おいのりします。アーメン

8日よる

聖書《せいしょ》をひらきましょう。

『……祈《いの》ることをやめて主《しゅ》に罪《つみ》を犯《おか》すことは、けっしてしないであろう。』サムエル記上《きじょうしょう》12章23節《せつ》（19～25節《せつ》もよんでください。）

すべての人《ひと》をおつくりくださった神様《かみさま》、あなただけが、全世界《ぜんせかい》の人々《ひとびと》の苦《くる》しみのいのりに答《こた》えることができます。

この夜《よる》、

家族《かぞく》とはなれて、ひとりでいる人《ひと》を、なぐさめてください。

食《た》べ物《もの》がなくて、おなかのすいている人《ひと》や、寒《さむ》くてふるえている人《ひと》に、わたしができることを、おしえてください。

かなしみや、おそろしさのために、ねむることのできない人《ひと》を、お守《まも》りください。

イエス様《さま》を伝《つた》えている人《ひと》、外国《がいこく》にいる宣教師《せんきょうし》、病院《びょういん》のお医者《いしゃ》さんや、かんごふさんを、お助《たす》けください。

わたくしも、いつか、イエス様《さま》のために、はたらく人《ひと》になることができますように。

イエス様《さま》のお名前《なまえ》によって、おいのりします。アーメン

9日あさ

聖書《せいしょ》をひらきましょう。

『あなたの荷《に》を主《しゅ》にゆだねよ。』詩篇《しへん》55篇《へん》22節《せつ》

目《め》に見《み》えない神様《かみさま》、きょうも、おいのりします。

きょう、わたしの上《うえ》に、何《なに》がおこってくるか、わたしは知《し》りません。しかしたとえ、どんなことがおこっても、あなたがわたしの神様《かみさま》ですから、少《すこ》しもおそれません。

神様《かみさま》が「よろしい」と言《い》われなければ、何《なに》もおこらないはずです。だから、たとえ、苦《くる》しいことや、悲《かな》しいことがおこっても、神様《かみさま》はかならず助《たす》けてくれます。

どうか、わたしを勇気《ゆうき》のある人《ひと》にしてください。そして、イエス様《さま》のために、多《おお》くのよいことができますように。

天《てん》のおとうさま、どうか、きょう一日《いちにち》、わたしの命《いのち》を、お守《まも》りください。

そして、わたしの心《こころ》と口《くち》と手足《てあし》を、正《ただ》しく使《つか》うことができるようにしてください。

もっとも大切《たいせつ》なイエス様《さま》を、いつも心《こころ》に思《おも》っていることができますように。

イエス様《さま》のお名前《なまえ》によって、おいのりします。アーメン

ファックスを入れましたので利用下さい。

①本の注文は、ファックスを使っていただくと、数分後にこちらに届きますので、３～４日で、そちらに本が届きます。

②メッセージテープのご注文の時は、郵便局で代金を振り込まれた時の受領証をはって、ご注文のテープの名前と番号を書いて、ファックスで送って下さい。一週間以内に、お送りできると思います。

③ファックスは、町のコンビニエンス・ストアにあります。

④必ず、ご自分のお名前、ご住所、電話番号をご記入ください。

地の塩港南キリスト教会の　ファックス番号（電話と共用）０４５（８４４）８４２１

［メッセージ・ホットサービスのご案内］

毎週の礼拝のメッセージ・テープ（６０分）を、その週のうちにお送りします。１年分（５２～５３週）の予約金３６，０００円（送料含む）を払い込んでください。毎月分割可（３０００円ずつ、１２ケ月）１年間予約された方にだけ、お送りします。

（申込先）〒233-0012 横浜市港南区上永谷５－２２－２
地の塩港南キリスト教会文書伝道部
電話・ＦＡＸ　045(844)8421　郵便振替00250-1-14559

Ｉコリント１３章「愛の章」（各６０分テープ）

Ｉコリント１３章「愛の章」のメッセージ・テープが完結しました。これはＩコリントの連続説教の中で話されたものです。すでに、お友達から聞かれて、ご注文くださる方もおられて感謝しております。ご希望の方は、「愛の章」１４本セット（各６０分テープ）７０００円（送料含む）でお送りします。代金前納でお申し込み下さい。

１０本未満で、ご希望のときは、テープが１本５００円で、送料が実費かかります。

（送料　１本－１７５円　２本－２５０円　３～５本－３６０円　６～９本－６７０円）

（６６）「最高のもの」１２：３１、１３：１３
（６７）「愛がないなら」１３：１～３
（６８）「愛の特性（１）―寛容　親切　ねたまず」１３：４
（６９）「　〃　（２）―自慢せず　礼儀　自分の利益を求めず」１３：４～５
（７０）「　〃　（３）―怒らず」１３：５
（７１）「　〃　（４）―人のした悪を思わず」１３：５
（７２）「　〃　（５）―不正を喜ばず、真理を喜ぶ」１３：６
（７３）「愛の訓練」１３：７
（７４）「愛の訓練（２）」１３：７
（７５）「決して絶えることのない愛」１３：８
（７６）「愛の耐久性（１）―完全なものが現われたら」１３：９～１０
（７７）「　〃　（２）―子どものことをやめました」１３：１１
（７８）「　〃　（３）―今　と　その時」１３：１２
（７９）「愛・その栄光」１３：１３　１４：１（前半）　（１３章　完結）

（お申し込み先）
〒233-0012 横浜市港南区上永谷５－２２－２
地の塩港南キリスト教会文書伝道部
郵便振替　口座番号　００２５０－１－１４５５９
加入者名　宗教法人　地の塩港南キリスト教会
電話・FAX 045(844)8421

9日よる

聖書《せいしょ》をひらきましょう。

『あなたは罪《つみ》をゆるす神《かみ》、……怒《いか》ることおそく、……。』ネヘミヤ記《き》9章《しょう》17節《せつ》（16〜25節《せつ》もよんでください。）


愛《あい》にみちている天《てん》の神様《かみさま》、あなたは、弱《よわ》い私《わたし》をごらんになっても、おこらず、やさしい目《め》で見《み》ていてくださいます。どうか、私《わたし》の心《こころ》の中《なか》をよく、しらべてください。そして、あなたが、よろこばれる心《こころ》かどうかを、おしえてください。

イエス様《さま》の子《こ》どもらしい言葉《ことば》や行《おこな》いを、したでしょうか。

あそんでばかりいて、勉強《べんきょう》やお手伝《てつだい》を少《すこ》しもしなかったことは、ないでしょうか。

よくばって食《た》べすぎなかったでしょうか。

いつも、きよいことを考《かんが》えていたでしょうか。

いつも、しょうじきだったでしょうか。ごまかしたり、ウソを言《い》ったりしなかったでしょうか。

ほかの人《ひと》に、よく思《おも》われたいと、あせったことはないでしょうか。

これらのことを、しょうじきに答《こた》えさせてください。

イエス様《さま》のお名前《なまえ》によって、おいのりします。アーメン

10日 あさ

聖書《せいしょ》をひらきましょう。

『まず神《かみ》の国《くに》と神《かみ》の義《ぎ》とを求《もと》めなさい。』マタイによる福音書《ふくいんしょ》6章《しょう》33節《せつ》

神様《かみさま》、あなたはわたしの神様《かみさま》です。わたしは、いつもあなたを求《もと》めています。あなたの命《いのち》と力《ちから》が、わたしの心《こころ》に与《あた》えられるようにいのっています。

どうか、もっと聖書《せいしょ》をよむことができるように助《たす》けてください。

そして、毎日《まいにち》、罪《つみ》をおかさないで、きよい心《こころ》でいることができますように。

わたしが、何《なに》かをする時《とき》、どのようにしたらよいかを、おしえてください。

両親《りょうしん》や友《とも》だちと話《はなし》をする時《とき》、わるい言葉《ことば》が出《で》ないように、守《まも》ってください。

いつも、ほかの人《ひと》に対《たい》して、やさしく、しんせつにすることが、できますように。

いつでも、イエス様《さま》によろこばれるような心《こころ》と言葉《ことば》と行《おこな》いでいられますように。

イエス様《さま》のお名前《なまえ》によって、おいのりします。アーメン

10日よる

聖書《せいしょ》をひらきましょう。
『見《み》よ、わたしは世《よ》の終《お》わりまで、いつもあなたがたと共《とも》にいるのである。』
マタイによる福音書《ふくいんしょ》28章《しょう》20節《せつ》（16～20節《せつ》もよんでください。）

天《てん》のおとうさま、きょう一日《いちにち》、わたしといっしょにいて、お守《まも》りくださり、ありがとうございます。

聖書《せいしょ》の言葉《ことば》によって、正《ただ》しいことを、おしえてくださり、ありがとうございます。また、イエス様《さま》のみたまが、わたしをみちびいてくださり、ぐうぜんにおこったと思《おも》っていたことが、神様《かみさま》の計画《けいかく》であったことを知《し》ることができて、ありがとうございます。

もっともっと、イエス様《さま》のことが、よくわかりたいと思《おも》います。

どうか、わたしだけでなく、わたしの家族《かぞく》や、友《とも》だちも、イエス様《さま》のことが、わかるようにしてください。

そして、罪《つみ》をおかしている人《ひと》、
苦《くる》しんでいる人《ひと》、
悲《かな》しんでいる人《ひと》、の心《こころ》に、平安《へいあん》を与《あた》えてあげてください。

イエス様《さま》のお名前《なまえ》によって、おいのりします。アーメン

11日 あさ

聖書《せいしょ》をひらきましょう。
『……あなたの心《こころ》を守《まも》れ、命《いのち》の泉《いずみ》は、これから流《なが》れ出《で》るからである。』
箴言《しんげん》4章《しょう》23節《せつ》

わたしの命《いのち》を守《まも》っていてくださる神様《かみさま》、きょう一日《いちにち》、わたしのすることや考《かんが》えることが、ぜんぶ正《ただ》しく、神様《かみさま》によろこばれるものでありますように。友《とも》だちと話《はな》したり、遊《あそ》んだりする時《とき》も、いじわるな思《おも》いや、よくばりな思《おも》いや、いやらしい心《こころ》にならないように、お守《まも》りください。ひとをだましたりすることがないように、お守《まも》りください。

どうか、イエス様《さま》の愛《あい》の心《こころ》を、もたせてください。イエス様《さま》が人々《ひとびと》を愛《あい》したように、わたしも家族《かぞく》や友《とも》だちや、町《まち》のすべての人《ひと》を愛《あい》することができますように。自分《じぶん》の言《い》う言葉《ことば》や行《おこな》いには、きびしく注意《ちゅうい》し、友《とも》だちには、ゆるやかにすることができますように。自分《じぶん》にいやがらせをする人《ひと》にも、しんせつにすることができますように。なやむ時《とき》や、こまった時《とき》にも勇気《ゆうき》をおあたえください。イエス様《さま》のお名前《なまえ》によって、おいのりします。アーメン

知られざる力（３２のこんなとき）新書判２１６頁

定価１０５０円（本体１０００円）　送料３１０円

すでに１４刷をして、１４年間のロング・セラーです。この本から多くの人が立ち上がり、救われています。「もっと早くこの本に会っていれば、よかったのに」という、ご感想が多数です。

（内容）

１．疲れて休息の必要な時
２．混乱の中で平安を求めている時
３．過度の緊張からくつろぎたい時
４．孤独で憂うつな時
５．弱くて未熟さを感じる時
６．欲望に負けそうな時
７．悲しみに直面した時
８．自己不信と劣等感に悩んでいる時
９．忍耐がためされる時
１０．からみつく恐れや悩みから解放されたい時
１１．忙しすぎてイラダッテいる時
１２．感情的に不安定な時
１３．幸福を求めている時
１４．敗北者から勝利者になりたい時
１５．罪のゆるしを求めている時
１６．自分の救いに確信がなくなった時
１７．あなた自身が変わりたい時
１８．高ぶって敗北した時
１９．苦しみに悩まされている時
２０．試練に直面した時
２１．多くの問題がのしかかってくる時
２２．不可避の困難に直面している時
２３．危機に直面した時
２４．神の保護に対して不安になった時
２５．祈りに力が乏しい時
２６．神のお導きを求めている時
２７．恵の高嶺を求めている時
２８．勇気を必要とする時
２９．臆病風に吹かれている時
３０．経済的に悩んでいる時
３１．人間関係を回復したい時
３２．不当に扱われた時

〒233-0012 横浜市港南区上永谷５－22－２
地の塩港南キリスト教会文書伝道部
電話 045（844）8421（FAX共用）

結婚へのアドバイス　まなべ　あきら著

B6判　164頁　定価1,630円（本体1553円）〒310

祝福された結婚生活とクリスチャン・ホーム建設のための絶対必読書。これから結婚する人も、すでに結婚している人も、必ず役立ちます。

（申込先）〒233-0012 横浜市港南区上永谷5－22－2
地の塩港南キリスト教会文書伝道部
FAX兼用・電話045（844）8421　郵便振替00250-1-14559

11日よる

聖書《せいしょ》をひらきましょう。

『……わたしの前《まえ》に歩《あゆ》み、全《まった》き者《もの》であれ。』創世記《そうせいき》17章《しょう》1節《せつ》

わたしを愛《あい》していてくださる神様《かみさま》、あなたは、わたしの心《こころ》の中《なか》をぜんぶ知《し》っておられます。だから、少《すこ》しもかくしません。どうか、きょう一日《いちにち》、わたしがした罪《つみ》をイエス様《さま》の十字架《じゅうじか》によっておゆるしください。そして、心《こころ》の中《なか》にみことばの光《ひかり》を照《てら》して、新《あたら》しいよろこびを、お与《あた》えください。

わたしは、両親《りょうしん》のいいつけを守《まも》りませんでした。

わたしは、人《ひと》の前《まえ》でよくみせようとしました。

わたしは、よくばりました。

わたしは、悪《わる》いくせをなおせませんでした。

わたしは、ウソをつきました。

わたしは、悪《わる》いことを考《かんが》えました。

わたしは、イエス様《さま》が「してはいけない。」と言《い》っておられることを、してしまいました。どうか、わたしが、罪《つみ》のどれいにならないように、これらの罪《つみ》に勝《か》たせてください。

イエス様《さま》のお名前《なまえ》によって、おいのりします。アーメン

12日 あさ

聖書《せいしょ》をひらきましょう。
『イエス・キリストは、きのうも、きょうも、いつまでも変《かわ》ることがない。』ヘブル人への手紙《てがみ》13章《しょう》8節《せつ》

えいえんにおられ、霊《れい》なる神様《かみさま》、あなたは、目《め》で見《み》たり、手《て》でさわることのできないお方《かた》です。しかし、実際《じっさい》にいらっしゃって、きょうも、わたしに力《ちから》を与《あた》えてくださり、助《たす》け、守《まも》ってくださいます。

どうか、このことをよくわからせてください。食《た》べたり、見《み》たり、さわることができるものだけが、ほんとうのものだと思《おも》いこんで、まちがわないようにしてください。見《み》たり、さわったりできないものこそ、大切《たいせつ》であり、えいえんに続《つず》くことを、おしえてください。からだは、死《し》んだら、おわりですが、心《こころ》は、えいえんに神様《かみさま》のものです。だから、よくばりになり、楽《たの》しむことに夢中《むちゅう》にならないで、きよい心《こころ》と、イエス様《さま》を愛《あい》すること、人々《ひとびと》にやさしくし、助《たす》けることを、いつも心《こころ》におぼえていることができますように。

この大切《たいせつ》なことを、おしえてください。

イエス様《さま》のお名前《なまえ》によって、おいのりします。アーメン

12日よる

聖書《せいしょ》をひらきましょう。

『キリストのうちには、知恵《ちえ》と知識《ちしき》との宝《たから》が、いっさい隠《かく》されている。』

コロサイ人《びと》への手紙《てがみ》2章《しょう》3節《せつ》（1～7節《せつ》もよんでください。）

きよいこと、正《ただ》しいこと、命《いのち》と力《ちから》などのすべての宝《たから》をもっておられる神様《かみさま》、どうか、わたしがイエス様《さま》を信《しん》じることによって、それらの宝《たから》が、わたしのものとなりますように。

ブツブツ不平《ふへい》を言《い》う心《こころ》ではなく、「ありがとう」という感謝《かんしゃ》の心《こころ》をもつことができますように。

どんなこまったことにも、しんぼう強《づよ》く、勇気《ゆうき》をもって、やりとおすことができますように。

正《ただ》しいことは、たとえ一人《ひとり》でも、力強《ちからづよ》くおこなえますように。

きよい心《こころ》をもつために、どんな誘惑《ゆうわく》にも勝《か》つことができますように。

自分《じぶん》に対《たい》して、いじわるをした人《ひと》を、心《こころ》からゆるすことができますように。

ちょっとしたことで、いつまでもくよくよしていることのないように。

イエス様《さま》のお名前《なまえ》によって、おいのりします。アーメン

13日　あさ

聖書《せいしょ》をひらきましょう。『はじめに神《かみ》は天《てん》と地《ち》とを創造《そうぞう》された。』創世記《そうせいき》1章《しょう》1節《せつ》（1章《しょう》ぜんぶをよんでください。）

天《てん》のおとうさま（神様《かみさま》）、人間《にんげん》の父親《ちちおや》よりもまさる、愛《あい》と恵《めぐ》みにみちた、すべての人《ひと》の「おとうさま」です。ですから、きょうも、わたしのすべてのことを守《まも》ってくださいます。神様《かみさま》は、この宇宙《うちゅう》になにもなかった時《とき》、えいえんのはじめから、おられます。神様《かみさま》は、だれかにつくられたのではなく、神様《かみさま》が、すべてのものをつくられました。鳥《とり》やけものも、花《はな》や木《き》も、海《うみ》や土《つち》や大空《おおぞら》も、時間《じかん》も空間《くうかん》も、つくられました。そして、人間《にんげん》もつくられました。人間《にんげん》は、罪《つみ》をおかさなかった時《とき》、神様《かみさま》のような心《こころ》と力《ちから》をもっていました。けれども罪《つみ》をおかして、今《いま》は、けがれた心《こころ》とあらそいで、みちています。

しかし、神様《かみさま》は、すばらしいおかたです。イエス様《さま》を与《あた》えてくださって、すべての罪《つみ》をゆるし、新《あたら》しい命《いのち》と心《こころ》をくださいます。

どうか、きょうも一日《いちにち》、あなたの恵《めぐ》みの中《なか》に、わたしも、すべての人々《ひとびと》もお守《まも》りください。

イエス様《さま》のお名前《なまえ》によって、おいのりします。アーメン

13日よる

聖書《せいしょ》をひらきましょう。

『……かしらになりたいと思《おも》う者《もの》は、すべての人《ひと》の僕《しもべ》とならねばならない。』マルコによる福音書《ふくいんしょ》10章《しょう》44節《せつ》（35～45節《せつ》もよんでください。）

天《てん》のおとうさま、きょうもお守《まも》りくださり、ありがとうございます。こんばん、わたしは、イエス様《さま》のような愛《あい》の心《こころ》がもちたくて、おいのりします。ひとの上《うえ》に立《た》ちたい心《こころ》よりも、ひとの下《した》になって親切《しんせつ》にする心《こころ》、弱《よわ》い者《もの》にやさしくする心《こころ》、天国《てんごく》に入《はい》るのをのぞむ心《こころ》が、ほしいのです。

わたしは、両親《りょうしん》や兄弟《きょうだい》からやさしくされ、よい友《とも》だちがいて幸福《こうふく》です。しかし、自分《じぶん》が幸福《こうふく》だったら、ほかの貧《まず》しい人《ひと》や、悲《かな》しんでいる人《ひと》はどうでもよい、というような心《こころ》になりたくありません。

また、自分《じぶん》が苦《くる》しい目《め》にあった時《とき》、自分《じぶん》は世界中《せかいじゅう》で一番不幸《いちばんふこう》な人間《にんげん》だと悲《かな》しんで、もっと苦《くる》しい目《め》にあっている人々《ひとびと》のことを、忘《わす》れてしまうことのないようにしてください。

もっともっと、イエス様《さま》の愛《あい》の心《こころ》を、わたしに与《あた》えてください。

イエス様《さま》のお名前《なまえ》によって、おいのりします。アーメン

14日 あさ

聖書《せいしょ》をひらきましょう。
『受《う》けるよりは与《あた》える方《ほう》が、さいわいである。』使徒行伝《しとぎょうでん》20章《しょう》35節《せつ》（18〜38節《せつ》もよんでください。）

天《てん》の神様《かみさま》、わたしの心《こころ》は弱《よわ》く、みすぼらしいのです。けれども神様《かみさま》は、わたしの心《こころ》の中《なか》に、はいってくださいます。そして、よくばったり、おこったり、ほしがったりする、ひくい心《こころ》からわたしをすくい出《だ》し、愛《あい》や喜《よろこ》びや平安《へいあん》という宝《たから》を与《あた》えてくださいます。どうか、きょう一日《いちにち》、そのようなあなたの恵《めぐ》みを、心《こころ》の中《なか》にもちつづけることができますように。

ほしがることよりも、愛《あい》すること、
おこることよりも、親切《しんせつ》にすること、
自分《じぶん》のためよりも、ひとのため、
楽《たの》しいことよりも、きよく正《ただ》しいこと、
が、できますように。

そして、すべてのものよりも、さきにイエス様《さま》のためにすることができますように。
このようにわたしの心《こころ》を、ひろい心《こころ》、やさしい心《こころ》、ひとを愛《あい》する心《こころ》、しんじつな心《こころ》、勇気《ゆうき》のある心《こころ》にしてください。イエス様《さま》のお名前《なまえ》によって、おいのりします。アーメン

14　日よる

聖書《せいしょ》をひらきましょう。
『静《しず》まって、わたしこそ神《かみ》であることを知《し》れ。』詩篇《しへん》46篇《ぺん》10節《せつ》（46篇《ぺん》ぜんぶをよんでください。）

神様《かみさま》、わたしは、一日中《いちにちじゅう》、遊《あそ》びや勉強《べんきょう》に夢中《むちゅう》になっていて、神様《かみさま》のことを考《かんが》えることを忘《わす》れていました。どうか、おゆるしください。こんばん、しずかにおいのりします。どうか、わたしの心《こころ》をひらいて、あかるい光《ひかり》を照《て》らしてください。

きょう一日《いちにち》、どんなことをしたか、おもい出《だ》させてください。もし、神様《かみさま》がよろこんでくださることをしていたら、それは神様《かみさま》が助《たす》けてくださったからできたのです。もし、神《かみ》様《さま》が悲《かな》しまれることをしていたら、それはわたしの罪《つみ》です。どうか、イエス様《さま》の十字架《じゅうじか》によっておゆるしください。

学校《がっこう》で勉強《べんきょう》をいっしょうけんめいにしたでしょうか。友《とも》だちと遊《あそ》ぶとき、なかよくしたでしょうか。両親《りょうしん》の言《い》いつけは、きちんと守《まも》れたでしょうか。どんな人《ひと》にも、愛《あい》の心《こころ》を示《しめ》したでしょうか。よくばりにならなかったでしょうか。どうか、よくおしえてください。

イエス様《さま》のお名前《なまえ》によって、おいのりします。アーメン

15日 あさ

聖書《せいしょ》をひらきましょう。

『わたしはよみがえりであり、命《いのち》である。わたしを信《しん》じる者《もの》は、たとい死《し》んでも生《い》きる。』ヨハネによる福音書《ふくいんしょ》11章《しょう》25節《せつ》（1～44節《せつ》もよんでください。）

神様《かみさま》、あなたは、はじまりがなく、おわりのないおかたです。世界《せかい》と宇宙《うちゅう》にあるすべてのものは、あなたのものです。このわたしもあなたのものです。

神様《かみさま》は、わたしを、目《め》に見《み》えるからだと、目《め》に見《み》えないたましい（心《こころ》のあるところ）とから、つくってくださいました。だから、たとえ、一生涯《いっしょうがい》なおらない病気《びょうき》になったとしても、神様《かみさま》はわたしを、みすてたりはいたしません。苦《くる》しい時《とき》にも、神様《かみさま》はわたしをわすれたりはしません。

どうか、わたしが、からだは死《し》んでも、けっして死《し》なないたましい（心《こころ》）をもっていることを、わからせてください。そして、ほんとうの幸福《こうふく》は、心《こころ》が神様《かみさま》といっしょにいることだと、わからせてください。

からだも大切《たいせつ》ですが、もっともっと、心《こころ》が大切《たいせつ》であることを、おしえてください。

イエス様《さま》のお名前《なまえ》によって、おいのりします。アーメン

15日よる

聖書《せいしょ》をひらきましょう。

『行《おこな》いと真実《しんじつ》とをもって愛《あい》し合《あ》おうではないか。』ヨハネの第一《だいいち》の手紙《てがみ》3章《しょう》18節《せつ》（13〜18節《せつ》もよんでください。）


わたしを愛《あい》してくださっている神様《かみさま》、あなたは、わたしを愛《あい》してくださっているのと同《おな》じように、ほかのすべての人《ひと》をも愛《あい》しておられます。だから、わたしも、ほかの人《ひと》を心《こころ》から愛《あい》したいと思《おも》います。

どうか、わたしに力《ちから》を与《あた》えてください。そして、わたしのまわりにいる人々《ひとびと》に、親切《しんせつ》にすることができますように。

また、イエス様《さま》の愛《あい》を、あらわすことができますように。

どこの家《いえ》でも、聖書《せいしょ》をよみ、おいのりすることができますように。

すべての人《ひと》が、心《こころ》の中《なか》でイエス様《さま》の愛《あい》を知《し》ることができますように。

そのために、どうか、このわたしを強《つよ》めてください。

イエス様《さま》の救《すく》いをつたえている、すべての人《ひと》を、お助《たす》けください。

イエス様《さま》のお名前《なまえ》によって、おいのりします。アーメン

16日 あさ

聖書《せいしょ》をひらきましょう。

『わが神《かみ》よ、わたしはみこころを行《おこな》うことを喜《よろこ》びます。』詩篇《しへん》40篇《ぺん》8節《せつ》

神様《かみさま》、あなたは、目《め》には見《み》えませんが、いつもわたしといっしょにいてくださって、ありがとうございます。どうか、もっと強《つよ》く、もっといきいきと、イエス様《さま》がわたしといっしょにいてくださることが、わかるようにしてください。しずかにおいのりしている時《とき》も、友《とも》だちとあそんでいる時《とき》も、学校《がっこう》で勉強《べんきょう》している時《とき》も、道《みち》をあるいている時《とき》も、いつもイエス様《さま》がいっしょにいてくださることを、思《おも》い出《だ》すことができますように。

きょう一日《いちにち》、イエス様《さま》が行《い》きたくないと思《おも》われる、けがれた所《ところ》には、わたしは行《い》きません。イエス様《さま》が友《とも》だちになりたくないと思《おも》われるような人《ひと》とは、いっしょにあそびません。イエス様《さま》がきらわれるような話《はなし》は、しません。

これらのことが守《まも》れるように、わたしに勇気《ゆうき》を与《あた》えてください。心《こころ》をやすらかにしてください。

イエス様《さま》のお名前《なまえ》によって、おいのりします。アーメン

16 日よる

聖書《せいしょ》をひらきましょう。

『しかし、まだ罪人《つみびと》であった時《とき》、わたしたちのためにキリストが死《し》んで下《くだ》さった……。』ローマ人《びと》への手紙《てがみ》5章《しょう》8節《せつ》（5章《しょう》ぜんぶをよんでください。）

神様《かみさま》、あさ、お約束《やくそく》したことをどれだけ守《まも》ることができたか、おしえてください。

わたしは、こんばん、イエス様《さま》がわたしの罪《つみ》のために十字架《じゅうじか》にかかってくださったことを思《おも》いうかべています。

イエス様《さま》は、どうして、にげなかったのでしょうか。どうして、弱《よわ》い人《ひと》のように、すぐにつかまってしまったのでしょうか。どうして口《くち》のきけない人《ひと》のように、だまってムチをうたれ、いばらのかんむりをかぶらされ、手《て》と足《あし》を十字架《じゅうじか》にくぎでうちつけられたのでしょうか。死《し》ぬのがわかっているのに。

それは、イエス様《さま》がこのわたしを愛《あい》していてくださったからです。わたしを愛《あい》しているので、わたしの罪《つみ》をぜんぶゆるして、天国《てんごく》にいれたかったからです。イエス様《さま》、ほんとうにありがとうございます。わたしは、イエス様《さま》を心《こころ》から愛《あい》します。

イエス様《さま》のお名前《なまえ》によって、おいのりします。アーメン

17日あさ

聖書《せいしょ》をひらきましょう。
『もろもろの天《てん》は神《かみ》の栄光《えいこう》をあらわし、大空《おおぞら》はみ手《て》のわざをしめす。』
詩篇《しへん》19篇《へん》1節《せつ》（19篇《へん》ぜんぶをよんでください。）

空《そら》をつくり、雲《くも》をつくり、山《やま》も森《もり》もつくってくださった神様《かみさま》、あなたは、目《め》には見《み》えませんが、いつも私《わたし》といっしょにいて、私《わたし》を守《まも》っていてくださって、ありがとうございます。きょう、わたしが山《やま》を見《み》る時《とき》、その山《やま》は、神様《かみさま》がおつくりくださったことを、思《おも》い出《だ》させてください。雲《くも》を見《み》る時《とき》も、美《うつく》しい花《はな》や、木《き》を見《み》る時《とき》も、神様《かみさま》を思《おも》い出《だ》すことが、できますように。

また、神様《かみさま》は、私《わたし》の心《こころ》の中《なか》にも、住《す》んでおられます。だから、神様《かみさま》が、私《わたし》の心《こころ》に話《はな》してくださることを、守《まも》ることができますように。いつまでも遊《あそ》んでいたり、テレビを見《み》すぎて、聖書《せいしょ》を読《よ》むのをわすれたり、しないように助《たす》けてください。

いつでも、イエス様《さま》に、すなおに従《したが》うことができますように。

イエス様《さま》のお名前《なまえ》によって、おいのりします。アーメン

17日よる

聖書《せいしょ》をひらきましょう。

『人《ひと》の心《こころ》の中《なか》から、悪《わる》い思《おも》いが出《で》て来《く》る。』マルコによる福音書《ふくいんしょ》7章《しょう》21節《せつ》（14～23節《せつ》もよんでください。）


すべてのものよりもまさって、もっともきよい神様《かみさま》、あなたは、私《わたし》のように弱《よわ》い罪深《つみぶか》い者《もの》をも、愛《あい》してくださって、ありがとうございます。

私《わたし》は、ほんとうに、自分勝手《じぶんかって》な者《もの》です。

私《わたし》は、自分《じぶん》がしなければならないことを、「あんなのやらなくてもいい」と思《おも》います。

いつも、ほんとうの心《こころ》は悪《わる》いのに、友《とも》だちには、よい子《こ》のように見《み》せています。

よいことをする時《とき》でも、それは、人《ひと》に見《み》てもらいたいからです。悪《わる》いことをしないのは、人《ひと》に見《み》られると、はずかしいからです。

わたしの心《こころ》は、こんな悪《わる》い思《おも》いで、いっぱいです。どうか、このような悪《わる》い心《こころ》を、とりのぞいてください。そして、新《あたら》しい、正《ただ》しい、清《きよ》い心《こころ》をあたえてください。心《こころ》から、友《とも》だちに親切《しんせつ》にし、敵《てき》をもゆるすことのできる心《こころ》を与《あた》えてください。

イエス様《さま》のお名前《なまえ》によって、おいのりします。アーメン

18日あさ

聖書《せいしょ》をひらきましょう。
『死《し》に至《いた》るまで忠実《ちゅうじつ》であれ。そうすれば、いのちの冠《かんむり》を与《あた》えよう。』ヨハネの黙示録《もくしろく》2章《しょう》10節《せつ》（8〜11節《せつ》もよんでください。）

イエス様《さま》をとおして、私《わたし》たちに正《ただ》しい教《おし》えを与《あた》えてくださった神様《かみさま》、どうか、この私《わたし》も、イエス様《さま》の教《おし》えを、少《すこ》しでも、おこなえるように助《たす》けてください。

イエス様《さま》は、『まず神《かみ》の国《くに》と神《かみ》の義《ぎ》とを求《もと》めなさい。』とおっしゃいました。この教《おし》えにしたがって、聖書《せいしょ》をよみ、おいのりすることを毎日《まいにち》わすれないで、できますように。教会学校《きょうかいがっこう》には休《やす》まないで行《い》けますように。雨《あめ》の日《ひ》も、寒《さむ》い日《ひ》も、ねむい時《とき》も、おでかけする日《ひ》も、教会学校《きょうかいがっこう》だけは、休《やす》まないで行《い》くことができますように。

どうか、もっともっと、イエス様《さま》についておしえてください。また、心《こころ》のことや、天国《てんごく》についてもおしえてください。まわりの人々《ひとびと》は、塾《じゅく》に行《い》くことや、おかねのことや、あそびのことで夢中《むちゅう》になっていますが、もっとも大切《たいせつ》なイエス様《さま》におしたがいすることができますように。

イエス様《さま》のお名前《なまえ》によって、おいのりします。アーメン

「悩みに勝つ力」まなべ　あきら著

Ｂ６判　252頁　定価2,100円　送料310円

第一章　悩みの原因
1、乱雑は悩みを生む
2、疲労の主な原因は倦怠
3、疲労と悩み
4、精神的、感情的緊張
5、内気
6、困難に直面すると
7、不当な非難を受けるとき
第二章　悩みのいろいろ
1、心の中の悩み
2、自己憐憫
3、仕事の悩み
4、不眠症の悩み
5、経済的悩み
6、結婚生活の悩み
7、主婦の悩み
8、過ぎ去ったことの悩み
9、どうにもならないことの悩み
10、感謝されない悩み
11、悩みは命取りになる
第三章　悩みの分析法
第四章　悩みの解決法
1、仕返しをしてはならない
2、心の態度を変えなさい
3、テキパキ問題を処理する方法
4、感情はコントロールできる
5、今日に生きる
6、没頭できるものを持ちなさい
7、信仰による解決
8、職業を選ぶ
9、創造的努力
10、自分の能力を発達させる要素
結　語

「実りある生活の秘訣」定価　（4刷）

まなべ　あきら著　Ｂ６判175頁　1260円　送料310円

この本は、日常生活の具体的な面から、また心の内面的な面から、そして、神のみ前での敬虔な生活をするための基本的な、しかも重要な点を解き明かしています。

（内容）

1章　日常生活の秘訣
1、クリスチャンの生活基準は何か？
2、人を頼りにすると、ヒドイ目に会う
3、他人の言葉で傷つきませんか？

2章　内なる生活の秘訣
1、むなしい望みにしがみつくな
2、あなたにも苦しむ時があるはず
3、自制心は我慢ではない、など

3章　敬虔な生活の秘訣
1、神のみ前を歩むとは、どうすることか？
2、神のみ声を聞こう
3、キリストの十字架を受けなさい
4、あなたが主とお会いする日まで　全3章51項目

心を満たす祈り

（9刷目）まなべ　あきら著
Ｂ６　69頁　550円（送料240円）

祈りの重要性がいくらわかっていても、実際に祈ることから始めなければ、祈りの生活は身についてきません。この本は、日常の個人的祈りの助けとして、祈りの心を養い、霊的生活をするために書かれています。祈りの心得と三十一日間の朝夕の祈りが記されています。公会の祈祷書ではありません。

18日よる

聖書《せいしょ》をひらきましょう。『ザアカイよ、急《いそ》いで下《お》りてきなさい。』ルカによる福音書《ふくいんしょ》19章《しょう》5節《せつ》（1～10節《せつ》もよんでください。）

天《てん》のおとうさま、わたしは、こんばん、あなたの深《ふか》くゆたかな愛《あい》を求《もと》めています。今《いま》わたしの、祈《いの》りをきいてください。わたしは、きょう一日《いちにち》の間《あいだ》にした悪《わる》いことのために、なやんでいます。

わたしは、口《くち》でうそを言《い》わなくても、心《こころ》の中《なか》でうそを言《い》っていました。よく注意《ちゅうい》しないで、悪《わる》い言葉《ことば》や不親切《ふしんせつ》なことを言《い》ってしまいました。

友《とも》だちや兄弟《きょうだい》を、ねたましく思《おも》ったり、うらんだりしました。いじわるや、いたずらをすることは、よろこんでして、神様《かみさま》の教《おし》えは、よろこびませんでした。

そのほか、いばった態度《たいど》やがんこな心《こころ》でした。このようなことを、ほかの人《ひと》のせいにしたり、みんなもしているとか、「しかたがない」とか、思《おも》わないで、イエス様《さま》になおしていただけますように。

イエス様《さま》のお名前《なまえ》によって、おいのりします。アーメン

19日あさ

聖書《せいしょ》をひらきましょう。

『……そうするならば、あなたの道《みち》は栄《さか》え、あなたは勝利《しょうり》を得《え》るであろう。』ヨシュア記《き》1章《しょう》8節《せつ》(1〜9節《せつ》もよんでください。)

くらい夜《よる》を、お守《まも》りくださり、もう一度《いちど》、明《あか》るい朝《あさ》を与《あた》えてくださってありがとうございます。きょうも一日《いちにち》、元気《げんき》に、力強《ちからづよ》くすごせますように。また、すべての罪《つみ》と誘惑《ゆうわく》からお守《まも》りください。

どんな小《ちい》さなことでも、神様《かみさま》にお従《したが》いすることができますように。

いつも、すなおで、真実《しんじつ》(うそのないこと)な心《こころ》をもてますように。

いかりや、にくしみの思《おも》いを、ばくはつさせませんように。

正《ただ》しいことをするために、つよい心《こころ》をもつことができますように。

また、わたしの父母《ふぼ》、兄弟《きょうだい》、家族《かぞく》、友《とも》だち、学校《がっこう》の先生《せんせい》、近所《きんじょ》の人《ひと》たちにも、同《おな》じ恵《めぐ》みをお与《あた》えください。すべての事故《じこ》やあやまちからも、お守《まも》りください。

イエス様《さま》のお名前《なまえ》によって、おいのりします。アーメン

19日よる

聖書《せいしょ》をひらきましょう。
『わたしを愛《あい》し、わたしのためにご自身《じしん》をささげられた神《かみ》の御子《みこ》……。』
ガラテヤ人《びと》への手紙《てがみ》２章《しょう》20節《せつ》（15〜21節《せつ》もよんでください。）

めぐみに満《み》ちた天《てん》の神様《かみさま》、あなたは、この私《わたし》を罪《つみ》から救《すく》い、クリスチャン（イエス様《さま》を信《しん》じる人《ひと》）と楽《たの》しくまじわり、天国《てんごく》にいくために、イエス様《さま》を十字架《じゅうじか》にかけてくださいました。

どうか、わたしが、イエス様《さま》について、わからなくなり、まよってしまう時《とき》にも、正《ただ》しくみちびいてください。イエス様《さま》の愛《あい》が、消《き》えることがないほど、強《つよ》く心《こころ》にあらわしてください。

そして、イエス様《さま》のように、心《こころ》へりくだることができますように。

心《こころ》から人《ひと》びとを愛《あい》することができますように。

いつも、イエス様《さま》が、どのようになさったかを、思《おも》い出《だ》すことができますように。

イエス様《さま》のお名前《なまえ》によって、おいのりします。アーメン

20日あさ

聖書《せいしょ》をひらきましょう。
『十字架《じゅうじか》の言《ことば》は、滅《ほろ》び行《ゆ》く者《もの》には愚《おろ》かであるが、救《すくい》にあずかるわたしたちには、神《かみ》の力《ちから》である。』コリント人《びと》への第一《だいいち》の手紙《てがみ》1章《しょう》18節《せつ》（18～25節《せつ》もよんでください。）

かぎりない恵《めぐ》みをもっておられる神様《かみさま》、きょうも、新《あたら》しい勇気《ゆうき》をもって、一日《いちにち》を始《はじ》めることができますように。一日中《いちにちじゅう》、神様《かみさま》にたよっていることができますように。

わたしには、わからないことが、たくさんあります。ですから、よくわかるように教《おし》えてください。

わたしには、できないことが、たくさんあります。ですから、いつも私《わたし》といっしょにいて助《たす》けてください。

いつも、聖書《せいしょ》のことばで、心《こころ》をはげましてください。

苦《くる》しい時《とき》にも、にげたりしないように。誘惑《ゆうわく》にあうときにも、それにまけることのないように。きのうの罪《つみ》を、きょうもおかすことがないように、助《たす》けてください。

イエス様《さま》のお名前《なまえ》によって、おいのりします。アーメン

20日よる

聖書《せいしょ》をひらきましょう。

『あなたがたの救《すく》われたのは、実《じつ》に、恵《めぐ》みにより、信仰《しんこう》によるのである。』

エペソ人《びと》への手紙《てがみ》2章《しょう》8節《せつ》（1～10節《せつ》もよんでください。）

父《ちち》なる神様《かみさま》、わたしは、あなたにおいのりします。どうか、すぐにお助《たす》けください。わたしが祈《いの》る時《とき》、耳《みみ》をかたむけて聞《き》いてください。

神様《かみさま》は、めぐみふかいおかたです。

あなたは、わたしのすべての罪《つみ》をゆるしてくださいます。そして、永遠《えいえん》の命《いのち》を与《あた》えてくださって、死《し》ぬ時《とき》にも、生《い》きかえるようにしてくださいました。

どうか、まだわたしが自分《じぶん》では気《き》がついていない罪《つみ》がありましたら、その罪《つみ》をおゆるしください。そして、これからは罪《つみ》をおかさないように助《たす》けてください。

いつでも、イエス様《さま》の十字架《じゅうじか》の上《うえ》に、私《わたし》の罪《つみ》がかけられていることを、信《しん》じていることができますように。わたしの心《こころ》を、やすらかにしてくださるのは、神様《かみさま》だけです。

イエス様《さま》のお名前《なまえ》によって、おいのりします。アーメン

21日 あさ

聖書《せいしょ》をひらきましょう。
『もし人《ひと》が卑《いや》しいものを取《と》り去《さ》って自分《じぶん》をきよめるなら、彼《かれ》は尊《たっと》いきよめられた器《うつわ》となって……。』テモテへの第二《だいに》の手紙《てがみ》2章《しょう》21節《せつ》（14〜26節《せつ》もよんでください。）

きよい神様《かみさま》、いま、このわたしの心《こころ》の中《なか》におはいりください。そして、わたしが考《かんが》えること、思《おも》うことを、すべてきよめてください。きょう、わたしが行《い》く所《ところ》には、いつもいっしょに行《い》ってください。とくに、自分《じぶん》の家《いえ》でいる時《とき》には、わがままになりやすいですから、お助《たす》けください。イエス様《さま》にむかってするのと同《おな》じ気持《きもち》で、両親《りょうしん》や兄弟《きょうだい》に親切《しんせつ》にすることができますように。

本《ほん》をよんだり、テレビを見《み》たりする時《とき》にも、正《ただ》しいものを、えらぶことができますように。おもしろいものや、おそろしいものを見《み》たり、よんだりして、心《こころ》が神様《かみさま》からはなれることのないようにしてください。心《こころ》が新《あたら》しくなり、きよくなるような本《ほん》を、よむことができますように。

イエス様《さま》のお名前《なまえ》によって、おいのりします。アーメン

21日よる

聖書《せいしょ》をひらきましょう。

『その日《ひ》に、イエスは下《くだ》ってこられ、……すべて信《しん》じる者《もの》たちの間《あいだ》で驚嘆《きょうたん》されるであろう。』テサロニケ人《びと》への第二《だいに》の手紙《てがみ》1章《しょう》10節《せつ》（1章《しょう》ぜんぶをよんでください。）

すべてのものを造《つく》り、すべてのものを、くださった神様《かみさま》、きょう一日《いちにち》、げんきでいられたことを、ありがとうございます。

美《うつく》しいけしきや、なかのよい友《とも》だち、それにやさしい両親《りょうしん》をあたえてくださり、ありがとうございます。

けれども、神様《かみさま》はもっとすばらしいものをくださいます。それは天国《てんごく》です。イエス様《さま》を信《しん》じている人《ひと》は、やがて天国《てんごく》にいきます。いまの楽《たの》しみに夢中《むちゅう》になって、天国《てんごく》をわすれないように、わたしの心《こころ》をお守《まも》りください。

もし、きょう、元気《げんき》なかわりに病気《びょうき》であったり、よろこびではなく悲《かな》しいことがあっても、がっかりしたり、くるしまないで、天国《てんごく》のことを思《おも》い出《だ》すことができるようにしてください。

イエス様《さま》のお名前《なまえ》によって、おいのりします。アーメン

22日 あさ

聖書《せいしょ》をひらきましょう。

『わたしが弱《よわ》い時《とき》にこそ、わたしは強《つよ》いからである。』コリント人《びと》への第二《だいに》の手紙《てがみ》12章《しょう》10節《せつ》（1～10節《せつ》もよんでください。）

天《てん》の神様《かみさま》、新《あたら》しい一日《いちにち》をあたえてくださり、ありがとうございます。わたしは、これから一日《いちにち》をはじめようとしています。きょう、なにがおこってくるか、わたしにはわかりません。どうか、お守《まも》りください。

わたしは、よわいものですから、つよくしてください。モーセやダビデのように、神様《かみさま》だけを信《しん》じて、勇気《ゆうき》をもって、まっすぐに歩《ある》いていくことができますように。また、イエス様《さま》のように、心《こころ》ひくくして、だれにでも親切《しんせつ》にすることができますように。

あくまが悪《わる》いことをするように、さそう時《とき》にも、かてますように。ひとりぼっちでさびしい時《とき》には、なぐさめてください。みんなといっしょにあそぶ時《とき》には、いっしょになってわるふざけをしないように助《たす》けてください。

よる、おいのりする時《とき》、かんしゃすることができますように。

イエス様《さま》のお名前《なまえ》によって、おいのりします。アーメン

みことばの黙想

(1) 創世記　B6判　174頁　1029円　送料160円　108の聖句で心に力が得られます。

(2) 出エジプト記1〜20章　B6判　202頁　2038円　送料160円　合計2198円

力のことば（上記の「みことばの黙想」の続きです。本になっていません。A4シートです。）

(1) 出エジプト記21〜40章　A4シート68枚　1360円　送料160円　合計1520円

(2) レビ記　A4シート84枚　1680円　送料160円　合計1840円

(3) 民数記　A4シート133枚　2660円　送料160円　合計2820円

(4) 申命記　A4シート107枚　2140円　送料160円　合計2300円

メッセージ・プリント（説教を書き記したものです。）

(1) ローマ人への手紙　A4シート712枚　15，000円　送料は小包4Kgまで分です。

(2) 雅歌　A4シート158枚　3160円　送料380円　合計3540円

解説プリント

(1) 小預言書A4シート9枚、ホセア書　A4シート62枚、両方で1400円送料160円

(2) ヨエル書　A4シート38枚　760円　送料160円　合計920円

(3) アモス書　A4シート84枚　1680円　送料160円　合計1840円

(4) ゼカリヤ書　A4シート96枚　1920円　送料160円　合計2080円

祈りによる伝道(60分テープ　9本セット　5000円送料含む。1本ずつの分売はしません。)

ご希望の方は、代金前納でお申し込みください。

家庭でできる創造的人格教育

まなべ あきら著 B6判　292頁　定価1890円　送料310円

お話が聞けない、本が読めない、絵がかけない、外でみんなと遊べない。言い付けや約束が守れない、自分の言いたいことが言えない、こんな子どもが増えています。これは、子どもたちの人格が健全に育っていないからです。こういう子をいくら叱っても、それを直すことはできません。

この本は人格教育に欠かすことのできない創造的分野を分かりやすく記しています。この本をじっくり学べば、教育情報に振りまわされたり、育児ノイローゼになることもないでしょう。

（内容）

第1篇　創造的人格教育とは？
- 1章　子どもの人格
- 2章　子どもの成長の法則
- 3章　造形あそびの役割
- 4章　生活の中での子どもの成長
- 5章　人格教育と道徳性
- 6章　ことばと概念
- 7章　子どもの重要な転換期

第2篇　子どもの絵と人格教育
- 1章　子どもは文字を書く前に絵をかく
- 2章　子どもの絵をかく意欲
- 3章　子どもの手の働き
- 4章　子どもの成長と絵

第3篇　諸問題に対するアドバイス
- 1、　なぜ、子どもには水と砂と土が必要であり、コンクリートの社会では健全に育ちにくいのか？
- 2、　0才児をどう保育したらよいのか？
- 3、　絵をかく紙の与え方

（など、23項目）

父と子のふれ合いの秘訣　まなべあきら著

新書判　67頁　定価　504円（送料240円）

この本が小さいのは、そのエッセンスだけを記しているからです。忙しいお父さんにも十分に読んでいただけるように配慮しました。

- 1章「知られざる父」について話そう
- 2章 心のふれ合いをつくる叱り方
- 3章 言い訳は全部聞いてやろう
- 4章 ほめ言葉は一生響く
- 5章 人生の目標を教える
- 6章 短くてもその場で集中して
- 7章 幼児期に蓄えられるもの
- 8章 子どもの能力を引き出す方法
- 9章 愛をこめたしつけ
- 10章 子どもの自立の秘訣
- 11章 頭に幻を描いて実行

22日よる

聖書《せいしょ》をひらきましょう。
『あなたはわれわれのもろもろの罪《つみ》を海《うみ》の深《ふか》みに投《な》げ入《い》れ、』ミカ書《しょ》7章《しょう》19節《せつ》（18～20節《せつ》もよんでください。）

神様《かみさま》、きょう一日《いちにち》、ぶじにおわったことを、ありがとうございます。あさのおいのりが、どれぐらい守《まも》れたか、よくおしえてください。もし、なにか悪《わる》いことをしていたら、イエス様《さま》の十字架《じゅうじか》によって、おゆるしください。もし、一《ひと》つでもよいことをしていたなら、それは神様《かみさま》がたすけてくださったから、できたのです。

これから、わたしは、ねむりますが、どうか、やすらかにねむることができますように心《こころ》に平安《へいあん》をあたえてください。

こんばん、なにも食《た》べるものがなく、おなかがすいたままで、ねむらなければならない人《ひと》が、世界《せかい》のどこかにいましたら、どうか助《たす》けてあげてください。

ひとばん中《じゅう》、ねむらないで働《はたら》いている人《ひと》も、お守《まも》りください。

イエス様《さま》のお名前《なまえ》によって、おいのりします。アーメン

23日 あさ

聖書《せいしょ》をひらきましょう。
『行《おこな》いのない信仰《しんこう》も死《し》んだものなのである。』ヤコブの手紙《てがみ》2章《しょう》26節《せつ》（2章《しょう》ぜんぶをよんでください。）

天《てん》の父《ちち》なる神様《かみさま》、きよい心《こころ》も、正《ただ》しいことをするための力《ちから》や勇気《ゆうき》も、すべてよいものは、神様《かみさま》がくださいます。このようなものを、毎日《まいにち》、心《こころ》にいただくことによって、イエス様《さま》の子供《こども》にふさわしいものとしてください。

神様《かみさま》は、罪《つみ》をすてて、イエス様《さま》を信《しん》じる人《ひと》を、よろこんでゆるし、すくってくださいます。そして、すなおにイエス様《さま》におしたがいすることを、望《のぞ》まれます。

神様《かみさま》は、毎日毎日《まいにちまいにち》、わたしに、恵《めぐ》みときよい心《こころ》をくださって、大《おお》きく成長《せいちょう》し、天国《てんごく》にはいることを、望《のぞ》んでいます。

神様《かみさま》は、愛《あい》です。わたしの罪《つみ》をゆるすために、ひとり子《ご》のイエス様《さま》を、十字架《じゅうじか》にかけてくださいました。どうか、わたしが、両親《りょうしん》や兄弟《きょうだい》や友《とも》だちに、愛《あい》のおこないをすることによって、イエス様《さま》の愛《あい》をあらわすことができますように。

イエス様《さま》のお名前《なまえ》によって、おいのりします。アーメン

23 日よる

聖書《せいしょ》をひらきましょう。

『あなたの若《わか》い日《ひ》に、あなたの造《つく》り主《ぬし》を覚《おぼ》えよ。』伝道《でんどう》の書《しょ》12章《しょう》1節《せつ》（12章《しょう》ぜんぶをよんでください。）


わたしの心《こころ》の中《なか》を見《み》ておられる神様《かみさま》、きょう一日《いちにち》をおわりました。このようにして、一《いち》日一日《にちいちにち》をすごし、やがてこの地上《ちじょう》を去《さ》っていかなければならない日《ひ》がきます。その時《とき》に、イエス様《さま》のいらっしゃる天国《てんごく》に行《い》くことができますように、毎日《まいにち》の生活《せいかつ》をみちびいてください。いつも、わたしの心《こころ》に聖書《せいしょ》のことばをおしえてください。

きょう一日《いちにち》、悪《わる》いことだと思《おも》いながら、してしまったことはなかったでしょうか。ひとのものをとったり、ウソを言《い》ったり、わる口《くち》を言《い》ったり、ひとの失敗《しっぱい》をおもしろがったり、ケンカをしなかったでしょうか。

どうか、正直《しょうじき》に、イエス様《さま》にこたえることができますように。

自分《じぶん》がとくをすることばかり考《かんが》えて、ほかの人《ひと》に親切《しんせつ》にすることは、ちっとも考《かんが》えなかったのではないでしょうか。

神様《かみさま》、どうか、わたしが天国《てんごく》にはいれるように、一日一日《いちにちいちにち》をすごさせてください。

イエス様《さま》のお名前《なまえ》によって、おいのりします。アーメン

24日あさ

聖書《せいしょ》をひらきましょう。

『……そのあわれみは尽《つ》きることがない。これは朝《あさ》ごとに新《あたら》しく、あなたの真実《しんじつ》は大《おお》きい。』哀歌《あいか》3章《しょう》22～23節《せつ》（22～41節《せつ》もよんでください。）

天《てん》のおとうさま、くらい夜《よる》をおまもりくださり、あたらしい朝《あさ》をありがとうございます。神様《かみさま》は、からだを休《やす》めるために夜《よる》を、おつくりくださり、はたらいたり、べんきょうしたり、あそぶために昼《ひる》をつくってくださいました。この一日《いちにち》も、神様《かみさま》がよろこんでくださるように、すごすことができますように。

がっかりするようなことが、おこっても、じっとがまんすることができますように。

さびしかったり、不安《ふあん》な時《とき》には、勇気《ゆうき》をおこすことができますように。

いじわるされたり、わる口《くち》を言《い》われた時《とき》には、イエス様《さま》の愛《あい》によって、ゆるしてあげることができますように。

神様《かみさま》、どうか、いつもわたしといっしょにいて、この弱《よわ》いわたしをたすけてください。

イエス様《さま》のお名前《なまえ》によって、おいのりします。アーメン

24　日よる

聖書《せいしょ》をひらきましょう。
『神《かみ》の愛《あい》の中《なか》に自《みずか》らを保《たも》ち、永遠《えいえん》のいのちを目《め》あてとして、わたしたちの主《しゅ》イエス・キリストのあわれみを待《ま》ち望《のぞ》みなさい。』ユダの手紙《てがみ》21節《せつ》
（17～25節《せつ》もよんでください。）

天《てん》のおとうさま、きょうも一日《いちにち》、おまもりくださりありがとうございます。神様《かみさま》が、いっしょにいてくださいましたから、やすらかにすごすことができました。

神様《かみさま》は、いつもわたしに、よいことだけをしてくださいます。やさしい両親《りょうしん》や兄弟《きょうだい》、なかのよい友《とも》だち、お手伝《てつだ》いができること、元気《げんき》にあそべること、住《す》む家《いえ》、美《うつく》しい自然《しぜん》のけしき、いろいろなことを教《おし》えてくれる先生《せんせい》、よい本《ほん》や絵《え》などをあたえてくれました。

けれども、これらよりも、もっともっとよいものはイエス様《さま》です。イエス様《さま》を信《しん》じることによって、死《し》んでも生《い》きかえることのできる永遠《えいえん》の命《いのち》をいただくことができます。

どうか、使《つか》うとすぐになくなってしまうものではなく、永遠《えいえん》に変《かわ》らないイエス様《さま》の恵《めぐ》みを、もっとよくわからせてください。

イエス様《さま》のお名前《なまえ》によって、おいのりします。アーメン

25日あさ

聖書《せいしょ》をひらきましょう。
『主《しゅ》の目《め》はあまねく全地《ぜんち》を行《ゆ》きめぐり、自分《じぶん》に向《む》かって心《こころ》を全《まっと》うする者《もの》のために力《ちから》をあらわされる。』歴代志下《れきだいしげ》16章《しょう》9節《せつ》（7～10節《せつ》もよんでください。）

天《てん》の神様《かみさま》、今《いま》わたしは新《あたら》しい一日《いちにち》をはじめようとしています。どうか、このわたしに、神様《かみさま》の知恵《ちえ》をあたえてください。そして正《ただ》しい道《みち》を歩《あゆ》むことができますように。

自分《じぶん》にほしいものがくるのが、おくれてもイライラしたりすることがありませんように。神様《かみさま》は、けっしておくれることがありません。神様《かみさま》は、いつでもちょうどよい時《とき》に、よいものを与《あた》えてくださいます。

自分《じぶん》のしたいと思《おも》っていることが、反対《はんたい》のようになっていっても、ブツブツ言《い》わないでいられますように。神様《かみさま》の考《かんが》えておられることは、もっともよいことだからです。

自分《じぶん》のしたいことをするために、神様《かみさま》のことをあとまわしにすることがありませんように。神様《かみさま》は、いつでも一番《いちばん》たいせつなおかたですから。

これらのことが、できるように助《たす》けてください。

イエス様《さま》のお名前《なまえ》によって、おいのりします。アーメン

25日よる

聖書《せいしょ》をひらきましょう。

『わたしが聖《せい》なる者《もの》であるから、あなたがたも聖《せい》なる者《もの》になるべきである。』ペテロの第一《だいいち》の手紙《てがみ》1章《しょう》16節《せつ》（13～25節《せつ》もよんでください。）

きよい神様《かみさま》、わたしは、イエス様《さま》を信《しん》じています。しかし、アクマの言《い》うなりになって罪《つみ》をおかしてしまいます。ほんとうに弱《よわ》いけがれた者《もの》です。ふざけたことには、すぐに加《くわ》わりますが、きよいことや正《ただ》しいことは、いつもさけています。

食事《しょくじ》やおやつは、よくばって食《た》べますが、聖書《せいしょ》はあまり読《よ》みません。目《め》の前《まえ》のたのしみには、夢中《むちゅう》になりますが、天国《てんごく》の祝福《しゅくふく》はあまり気《き》をつけません。何《なに》もしないでダラダラすることは、好《す》きですが、おいのりしたり、勉強《べんきょう》したり、手伝《てつだ》ったりすることは、あまり好《す》きではありません。自分《じぶん》のためには、いっしょうけんめいにしますが、ほかの人《ひと》のためには、いいかげんにしかしません。自分《じぶん》の悪《わる》い所《ところ》は、大目《おおめ》にみますが、ほかの人《ひと》の欠点《けってん》は、きびしく責《せ》めます。

ああ、どうか、このようなけがれた心《こころ》をイエス様《さま》の十字架《じゅうじか》の血《ち》によってきよめてください。イエス様《さま》のお名前《なまえ》によって、おいのりします。アーメン

26日あさ

聖書《せいしょ》をひらきましょう。
『それでわたしはみずから恨《うら》み、ちり灰《はい》の中《なか》で悔《く》います。』ヨブ記《き》42章《しょう》6節《せつ》（42章《しょう》ぜんぶをよんでください。）

神様《かみさま》、きょうも元気《げんき》に、はじめることができてありがとうございます。どうか、この元《げん》気《き》な力《ちから》を正《ただ》しいことのために、使《つか》うことができますように。

イエス様《さま》を忘《わす》れたり、信《しん》じる心《こころ》がよわくなってくると、いつも、ふざけることや、いたずらや、つまらない遊《あそ》びに、この元気《げんき》な力《ちから》をつかってしまいます。

あそぶ時《とき》にも、スポーツをする時《とき》にも、勉強《べんきょう》する時《とき》にも、仕事《しごと》を手伝《てつだ》う時《とき》にも、正《ただ》しいきよい心《こころ》をあたえてください。

たとい、まちがったことをしていても、早《はや》く気《き》がついて、すぐにあやまり、なおすことができますように。

いつでも、イエス様《さま》によろこんでもらえることを、一番《いちばん》にすることができますように。

イエス様《さま》のお名前《なまえ》によって、おいのりします。アーメン

26日よる

聖書《せいしょ》をひらきましょう。

『神《かみ》は心《こころ》の秘密《ひみつ》をも知《し》っておられるからです。』詩篇《しへん》44篇《ぺん》21節《せつ》（44篇《ぺん》ぜんぶをよんでください。）

めぐみにみちた、やさしい神様《かみさま》、きょうも一日《いちにち》がおわりました。どうか、ねる前《まえ》に、きょうどんなことをしたか、どんなことを言《い》ったか、どんなことを考《かんが》えたか、反省《はんせい》させてください。

イエス様《さま》のことを、わすれていなかったでしょうか。

悪《わる》いことをして、それをかくしたままにしていないでしょうか。

わがままになったことは、なかったでしょうか。

神様《かみさま》は、わたしのことを、ぜんぶ知《し》っておられますから、どうか心《こころ》におしえてください。

そして、すぐに、おわびをして、なおすことができますように。

ねる前《まえ》に、心《こころ》をやすらかにしてください。暗《くら》い夜《よる》も、お守《まも》りください。

イエス様《さま》のお名前《なまえ》によって、おいのりします。アーメン

27 日　あさ

聖書《せいしょ》をひらきましょう。
『はばかることなく恵《めぐ》みの御座《みざ》に近《ちか》づこうではないか。』ヘブル人《びと》への手紙《てがみ》4章《しょう》16節《せつ》（14～16節《せつ》もよんでください。）

愛《あい》にみちた天《てん》の神様《かみさま》、きょう一日《いちにち》、わたしの心《こころ》をやすらかに、守《まも》ってください。いらだったり、おこりっぽくなったりする時《とき》には、イエス様《さま》の十字架《じゅうじか》の苦《くる》しみを、思《おも》い出《だ》すことができますように。

イエス様《さま》は、十字架《じゅうじか》の上《うえ》から、自分《じぶん》をクギでうちつけた人々《ひとびと》のために、おいのりされました。「お父《とう》さま、この人《ひと》たちの罪《つみ》を、どうかゆるしてあげてください。この人《ひと》たちは、何《なに》をしているのか知《し》らないからです。」

どうか、わたしにもこのようなおいのりができるようにしてください。

イエス様《さま》は、わたしたちの苦《くる》しみを、ぜんぶ味《あじ》わってくださいましたから、わたしたちの心《こころ》の奥深《おくふか》くまで、なぐさめてくださいます。

自分《じぶん》のことで苦《くる》しむだけでなく、イエス様《さま》のように、ほかの人《ひと》のために苦《くる》しむことができますように。

イエス様《さま》のお名前《なまえ》によって、おいのりします。アーメン

27日よる

聖書《せいしょ》をひらきましょう。
『神《かみ》は光《ひかり》であって……わたしたちも光《ひかり》の中《なか》を歩《ある》くならば……。』ヨハネの第一《だいいち》の手紙《てがみ》1章《しょう》5、7節《せつ》（5～10節《せつ》もよんでください。）

まことの神様《かみさま》、きょうも一日《いちにち》がおわって、暗《くら》い夜《よる》になりました。しかし、神様《かみさま》は、暗《くら》やみの中《なか》の光《ひかり》のように、多《おお》くの悲《かな》しんでいる人《ひと》に喜《よろこ》びを与《あた》え、なげいている人《ひと》に希望《きぼう》を与《あた》えられました。

どうか、わたしが、これから先《さき》、どうしていいかわからなくなった時《とき》にも、絶望的《ぜつぼうてき》になったり、とまどったりしないように、心《こころ》の中《なか》の光《ひかり》となって、みちびいてください。

多《おお》くのことが、全《まった》くわからなくて、不安《ふあん》になる時《とき》にも、イエス様《さま》においのりし、たよって、今《いま》すぐできることを忠実《ちゅうじつ》にすることができますように。

イエス様《さま》を信《しん》じる心《こころ》がよわくなってくる時《とき》にも、イエス様《さま》を愛《あい》する心《こころ》を強《つよ》くすることができますように。

わたしたちには、暗《くら》い夜《よる》のように、すべてがわからなくなってしまうことがあります。しかし、心《こころ》の光《ひかり》であるイエス様《さま》を信《しん》じてすすむことができますように。

イエス様《さま》のお名前《なまえ》によって、おいのりします。アーメン

28日 あさ

聖書《せいしょ》をひらきましょう。

『多《おお》くの人《ひと》を義《ぎ》に導《みちび》く者《もの》は、星《ほし》のようになって永遠《えいえん》にいたるでしょう。』

ダニエル書《しょ》12章《しょう》3節《せつ》（12章《しょう》ぜんぶをよんでください。）


天《てん》の父《ちち》なる神様《かみさま》、新《あたら》しい一日《いちにち》を、お与《あた》えくださりありがとうございます。

わたしは、いつも言《い》うだけで、実行《じっこう》がともないません。どうか、きょうは神様《かみさま》の力《ちから》をいただいて、行《おこな》いにおいても、イエス様《さま》を信《しん》じているものらしくすることができますように。

また、わたしのためばかりでなく、両親《りょうしん》や兄弟《きょうだい》、友達《ともだち》にも、めぐみと力《ちから》をお与《あた》えください。

また、世界中《せかいじゅう》の教会学校《きょうかいがっこう》のお友達《ともだち》と教会学校《きょうかいがっこう》の先生《せんせい》にも、めぐみと力《ちから》をお与《あた》えください。

イエス様《さま》を伝《つた》えるために外国《がいこく》で働《はたら》いている宣教師《せんきょうし》の先生《せんせい》も、お守《まも》りください。

どうか、わたしにも、イエス様《さま》のために働《はたら》く力《ちから》をお与《あた》えください。そして、ひとりでも多《おお》くの人々《ひとびと》に、イエス様《さま》をお伝《つた》えすることができますように。

自分《じぶん》だけが幸福《こうふく》になったら、それでよい、と思《おも》うことがありませんように。

イエス様《さま》のお名前《なまえ》によって、おいのりします。アーメン

28 日よる

聖書《せいしょ》をひらきましょう。

『わたしは清《きよ》い水《みず》をあなたがたに注《そそ》いで、すべての汚《けが》れから清《きよ》め、……新《あたら》しい心《こころ》……新《あたら》しい霊《れい》をあなたがたの内《うち》に授《さず》け、………。』エゼキエル書《しょ》36章《しょう》25、26節《せつ》（22～32節《せつ》もよんでください。）

きよく、正《ただ》しい神様《かみさま》、どうか、わたしのけがれた心《こころ》と口《くち》を、きよくしてください。

きょう、わたしは、友《とも》だちをにくみました。しかえしをしてやろうと考《かんが》えました。がまんできずに、ののしりました。

ほかの人《ひと》のために、自分《じぶん》が苦《くる》しい思《おも》いをしなければならないのを、喜《よろこ》びませんでした。

つまらないことばかりを話《はな》しているのに、正《ただ》しい人《ひと》であるかのように見《み》せました。

ほんとうは、つめたい心《こころ》なのに、親切《しんせつ》そうに見《み》せました。

どうか、このようにけがれたわたしを、イエス様《さま》によって、きよくしてください。

神様《かみさま》は、このように罪深《つみぶか》いわたしの祈《いの》りにも、ききとどけてくださいますから、ありがとうございます。

どうか、わたしの心《こころ》をイエス様《さま》によって、きよい自由《じゆう》な心《こころ》にしてください。

イエス様《さま》のお名前《なまえ》によって、おいのりします。アーメン

29日　あさ

聖書《せいしょ》をひらきましょう。
『わたしは彼《かれ》らの苦《くる》しみを知《し》っている。』出《しゅつ》エジプト記《き》3章《しょう》7節《せつ》（1〜12節《せつ》もよんでください。）

全能《ぜんのう》（何《なん》でもできる）の神様《かみさま》、きょうも、あなたの愛《あい》でわたしをつつんでください。どうか、きょう一日《いちにち》、神様《かみさま》が、正《ただ》しい手《て》で、この世界《せかい》を動《うご》かしておられることを、わすれませんように。たとい、悪人《あくにん》が好《す》き勝手《かって》なことをしても、神様《かみさま》が、刑罰《けいばつ》を与《あた》えられることを思《おも》って、心《こころ》をやすらかにしていることができますように。イエス様《さま》を信《しん》じて、神様《かみさま》を求《もと》めつづけるなら、必要《ひつよう》なものは、神様《かみさま》が与《あた》えてくださることを忘《わす》れることがありませんように。自然《しぜん》の移《うつ》りかわりや、いろいろな出来事《できごと》を見《み》るとき、神様《かみさま》がはたらいておられることを知《し》ることができますように。

わたしのまわりにいる人々《ひとびと》（なかのよい友達《ともだち》も、いじわるな人《ひと》も）から、愛《あい》するということを学《まな》ぶことができますように。いろいろ心配《しんぱい》したり、ふざけたりすることによって、イエス様《さま》の愛《あい》から、まよい出《で》ることがないように、守《まも》ってください。イエス様《さま》のお名前《なまえ》によって、おいのりします。アーメン

29日よる

聖書《せいしょ》をひらきましょう。

『信仰《しんこう》の戦《たたか》いをりっぱに戦《たたか》いぬいて、永遠《えいえん》のいのちを獲得《かくとく》しなさい。』

テモテへの第一《だいいち》の手紙《てがみ》6章《しょう》12節《せつ》（1～21節《せつ》もよんでください。）


はじめもなく、終《お》わりもない、かぎりない神様《かみさま》、あなたは、いつも、愛《あい》にみちた、やさしい友《とも》であってくださいました。

まよっている時《とき》には、光《ひかり》となってみちびいてくださいました。

がっかりしている時《とき》には、はげましてくださいました。

罪《つみ》を犯《おか》して、なやんでいる時《とき》には、やさしくイエス様《さま》の十字架《じゅうじか》によってゆるしてくださいました。

一生《いっしょう》けんめい働《はたら》いている時《とき》には、助《たす》けてくださいました。

わたしが、自分《じぶん》のわがままをすてて、イエス様《さま》におたよりした時《とき》には、いつも新《あたら》しい力《ちから》を与《あた》えてくださいました。

これから先《さき》、どんなむつかしいことがあっても、このことを忘《わす》れないように、お守《まも》りください。そして、いつでも、イエス様《さま》に心《こころ》から、おたよりすることができますように。

イエス様《さま》のお名前《なまえ》によって、おいのりします。アーメン

30日あさ

聖書《せいしょ》をひらきましょう。

『あなたも行《い》って同《おな》じようにしなさい。』ルカによる福音書《ふくいんしょ》10章《しょう》37節《せつ》（25～37節《せつ》もよんでください。）


天《てん》の神様《かみさま》、この朝《あさ》、元気《げんき》に目《め》ざめることができて、ありがとうございます。きょう一日《いちにち》を、心《こころ》から感謝《かんしゃ》して過《す》ごすことができますように。

神様《かみさま》は、すべてのものを造《つく》られた、つくり主《ぬし》です。あまり遊《あそ》びに夢中《むちゅう》になって、大空《おおぞら》や、大地《だいち》や、みどりの草木《くさき》を、神様《かみさま》がつくられたことを忘《わす》れないように。小鳥《ことり》が、チッチッとないているのを聞《き》く時《とき》、神様《かみさま》にむかって、歌《うた》うことを思《おも》い出《だ》させてください。

わたしの命《いのち》も、心《こころ》のすがすがしさも、ぜんぶ神様《かみさま》がくださったものであることを、深《ふか》く知《し》ることができますように。

わたしの両親《りょうしん》や家族《かぞく》よりも、もっと私《わたし》を愛《あい》してくださる神様《かみさま》。どうか、その愛《あい》の心《こころ》をわたしに与《あた》えてください。そして、わたしより小《ちい》さい子供《こども》や、病気《びょうき》の人《ひと》や、悲《かな》しんでいる人《ひと》、ひとりぼっちでいる人《ひと》に、やさしくしてあげることができますように。

イエス様《さま》のお名前《なまえ》によって、おいのりします。アーメン

30日よる

聖書《せいしょ》をひらきましょう。

『もしわたしのいましめを守《まも》るならば、あなたがたはわたしの愛《あい》のうちにおるのである。』ヨハネによる福音書《ふくいんしょ》15章《しょう》10節《せつ》（1～11節《せつ》もよんでください。）

天《てん》の神様《かみさま》、わたしたちに、あなたのお言葉《ことば》である聖書《せいしょ》を与《あた》えてくださり、ありがとうございます。どうか、聖書《せいしょ》にある教《おし》えを守《まも》ることができますように。

「まず神《かみ》の国《くに》と神《かみ》の義《ぎ》とを求《もと》めなさい。」マタイによる福音書《ふくいんしょ》6章《しょう》33節《せつ》「いつも喜《よろこ》んでいなさい。絶《た》えず祈《いの》りなさい。すべての事《こと》について、感謝《かんしゃ》しなさい。」テサロニケ人《びと》への第一《だいいち》の手紙《てがみ》5章《しょう》16～18節《せつ》「すべての無慈悲《むじひ》、憤《いきどお》り、怒《いか》り、騒《さわ》ぎ、そしり、また、いっさいの悪意《あくい》を捨《す》て去《さ》りなさい。互《たがい》に情深《なさけぶか》く、あわれみ深《ぶか》い者《もの》となり、神《かみ》がキリストにあってあなたがたをゆるしてくださったように、あなたがたも互《たがい》にゆるし合《あ》いなさい。」エペソ人《びと》への手紙《てがみ》4章《しょう》31～32節《せつ》「あなたがたは、主《しゅ》イエス・キリストを着《き》なさい。肉《にく》の欲《よく》を満《み》たすことに心《こころ》を向《む》けてはならない。」ローマ人《びと》への手紙《てがみ》13章《しょう》14節《せつ》

これらのことを守《まも》るために、どうか、神様《かみさま》の力《ちから》をお与《あた》えください。イエス様《さま》のお名前《なまえ》によって、おいのりします。アーメン

31日あさ

聖書《せいしょ》をひらきましょう。
『わたしたちの主《しゅ》また救主《すくいぬし》イエス・キリストの恵《めぐ》みと知識《ちしき》とにおいて、ますます豊《ゆた》かになりなさい。』ペテロ第二《だいに》の手紙《てがみ》3章《しょう》18節《せつ》

天《てん》の神様《かみさま》、この一月《ひとつき》の間《あいだ》、毎日《まいにち》、わたしを守《まも》り、みちびいてくださり、ありがとうございます。

このように、毎日《まいにち》、聖書《せいしょ》をよみ、おいのりすることによって、心《こころ》に、神様《かみさま》の命《いのち》と力《ちから》をいただけることは、なんとすばらしいことでしょうか。このことを続《つづ》けて、もっともっと神《かみ》様《さま》を知《し》ることができますように。

神様《かみさま》のきよさ、神様《かみさま》の正《ただ》しさ、イエス様《さま》を十字架《じゅうじか》につけてくださったほどの神様《かみさま》の愛《あい》を、知《し》ることができますように。

それにくらべて、わたしの罪深《つみぶか》さ、わたしの不真実《ふしんじつ》さ、わたしの愛《あい》の小《ちい》ささを、ハッキリと示《しめ》してください。

生《い》きているかぎり、神様《かみさま》のめぐみの中《なか》で、成長《せいちょう》させてください。

イエス様《さま》のお名前《なまえ》によって、おいのりします。アーメン

ジーンとくる生き方

まなべあきら著　B6判　115頁 714 円

けっこう楽しい生活をしている。しかし心のどこかに空しさを感じている。もっと心にしみとおるようなジーンとくる生き方がしたい！　そんな生きがいを求めている人のために、わかりやすく書いた本です。

（目次紹介）

第一章　生きがいとは
　1　むねにジーンとくる生き方
　2　生きがいとは何か？
第二章　人は何のために生きるのか？
　1　人生の真の目的は何か
　2　人間は二度生まれる
　3　自己の性格の形成
　4　いったいこの自分は何者なのだ
　5　自己確立のための父との距離、母との距離
第三章　生きがいの喪失
　1　情熱を注いでいるか？
　2　無気力としらけ
第四章　未来に生きる
　1　心理学的未来
　2　生活設計はどのようにしてできるのか？
　3　現実の生活設計は、どうなっているのか？
　4　信頼と希望
第五章　生きがいと人間関係
　1　あたたかい心の交流
　2　友だち関係
　3　孤独と交わり

子どもの体力と創造力

まなべ　あきら著

B六判　155頁　定価1630円（本体1553円）送料260円

スポーツがさかんな現代なのに、なぜ、朝からあくびする子、家の中に閉じこもりがちの子、姿勢がしっかりしないグニャグニャの子、意欲のない子が多いのか。この本では、現代の子どもたちの体力と創造力に焦点を合わせています。

（内容）

1章　子どもの体に何かが起きている
2章　幼児にはマラソンよりごっこ遊び
3章　皮膚の鍛錬
4章　足と腰
5章　意欲と体力
6章　運動あそびのさせ方
7章　体力と活力づくり
8章　活力は創造力を生む
9章　創造力を育てる
10章　親の態度と働きかけ
11章　創造力の乏しい子に対する対策
12章　家庭でこんなことをやってみよう

心の平安

まなべ　あきら著

B6　53頁　441円（送料240円）

マタイの福音書11章28節は、日本のクリスチャンの70％以上の人が、救いに導かれるために心に感動を覚えた聖句です。本書は、この聖句から「心の平安」を持つための秘訣を、多くの経験をまじえて、分かりやすく解き明かしています。求道者や信仰を持って間もない方へのプレゼントにも最適です。

1章　疲れた人、重荷を負っている人

2章　休ませてあげます。

3章　わたしから学びなさい。

愛の絆によって

まなべ　あきら著

B6　107頁　609円（送料　310円）

しあわせは、偶然になれたり、なれなかったりするものではありません。あなたがこの本に記されているルツのような人になりさえするなら、必ずしあわせになることができます。この本は、現代人が失っている、しあわせのための心の条件をルツ記から具体的に拾い出して説き明しています。

（目次紹介）

1．ヨーイ・ドンで間違うと
2．希望の光は見えないが
3．神にもどる旅
4．野心なしの積極的な求め
5．出会いはいつも不思議なもの
6．致せり、尽せり
7．さらに勝る恩み
8．希望の光が見えてきた
9．こよなく愛される「はしため」
10．私があなたを買い戻します
11．お金があっても、権利があっても、愛がなければ
12．願いに勝るしあわせ

31日よる

聖書《せいしょ》をひらきましょう。

『神《かみ》はあなたがたをかえりみていて下《くだ》さるのであるから、自分《じぶん》の思《おも》いわずらいを、いっさい神《かみ》にゆだねるがよい。』ペテロの第一《だいいち》の手紙《てがみ》5章《しょう》7節《せつ》
（1～11節《せつ》もよんでください。）

昼《ひる》も夜《よる》も、世界《せかい》を支配《しはい》しておられる神様《かみさま》、わたしは、きょう一日《いちにち》あったことを、すべてあなたにおまかせしますから、やすらかに、眠《ねむ》らせてください。腹《はら》をたてていたり、ムシャクシャしていたりするなら、そのような心《こころ》を取《と》り去《さ》ってください。

あすのことで、心配《しんぱい》になっているなら、イエス様《さま》が、ぜんぶをよいようにしてくださることを、信《しん》じることができますように。

自分《じぶん》が、ほかの人《ひと》より劣《おと》っていると思《おも》って、ねたんだり、うらんだりする心《こころ》がありますなら、神様《かみさま》がわたしに与《あた》えてくださった能力《のうりょく》を思《おも》い出《だ》させてください。

神様《かみさま》は、いつもわたしと共《とも》にいてくださいます。しかし、わたしは、しばしば神様《かみさま》を忘《わす》れて、はなれてしまいます。どうか、わたしが、いつも神様《かみさま》といっしょにいることができますように。イエス様《さま》のお名前《なまえ》によっておいのりします。アーメン

教会学校生徒のためのいのり
(本体 291 円)
定価 300 円

1979 年 10 月 1 日　第 1 版第 1 刷発行
1996 年　1 月 1 日　第 1 版第 20 刷発行

著　者　　まなべ　あきら

発行所　　地の塩港南キリスト教会文書伝道部
〒233 横浜市港南区上永谷 5 － 22 － 2
電話 045(844)8421

ISBN 4 － 924852 － 14 － 7

既刊図書案内

（図書案内をご希望の方は、直接、地の塩港南キリスト教会文書伝道部まで、
お申し込みください。）

（子ども用）

アイディア・ゲーム　弟子ゲーム　一五〇円

教会学校生徒のためのいのり　B六判　六三頁　三〇九円（本体三〇〇円）（二〇刷）

教会学校生徒のしつもんはてな　B六判　八六頁　五八〇円（本体五六三円）（七刷）

教会学校生徒のちから　B六判　七〇頁　五八〇円（本体五六三円）（七刷）

教会学校生徒のあい　B六判　八六頁　四六四円（本体四五〇円）

教会学校生徒の日日のみことば　B六判　六四頁　四三三円（本体四二〇円）

おさなごのいのり　大型判　二〇頁　四九四円（本体四八〇円）

（大人用）

家庭の幸福と子供のしつけ　新書判　一四六頁　九八〇円（本体九五一円）十一刷

妻の役目　B六判　一二三頁　一二三六円（本体一二〇〇円）

人を動かす愛（対人関係の秘訣）　新書判　九六頁　六八〇円（本体六六〇円）十八刷

知られざる力　新書判　二一六頁　一〇三〇円（本体一〇〇〇円）（一五刷）

今日を生かせ！　B六判　四二頁　三八〇円（本体三六八円）六刷

仕事に挑戦　B六判　一二七頁　一〇三〇円（本体一〇〇〇円）（五刷）

心を満たす祈り　B六判　六九頁　五〇〇円（本体四八五円）九刷

うれしくて　B六判　一二一頁　七〇〇円（本体六八〇円）

ジーンとくる生き方　B六判　一一五頁　七〇〇円（本体六八〇円）

愛の絆によって　B六判　一〇七頁　五九七円（本体五八〇円）

宇宙の終末　B六判　一三五頁　七七三円（本体七五〇円）

救われる為の実際方法　B六判　一〇六頁　五六七円（本体五五〇円）（三刷）

日本人のための福音入門　B六判　一〇九頁　八八〇円（本体八五四円）七刷
聖書から学ぶ救いの道（書き込み式テキスト）A五判 二一頁 一五五円（本体一五〇円）
さると人間（進化論は本当に科学か？）　一八頁　六二円（本体六〇円）
自己建設　B六判　一五七頁　九〇六円（本体八八〇円）
父と子のふれ合いの秘訣　新書判　六七頁　四九四円（本体四八〇円）
子どもの心を育てる　B六判　一六二頁　九〇六円（本体八八〇円）
聖書が答える死と未来　B六判　八三頁　四九四円（本体四八〇円）
実りある生活の秘訣　B六判　一七五頁　一〇〇九円（本体九八〇円）
心の平安　B六判　五三頁　四三三円（本体四二〇円）
家庭でできる創造的人格教育　B六判　二九二頁　一八五四円（本体一八〇〇円）
勉強ができる子できない子　B六判　二二六頁　一八五四円（本体一八〇〇円）
悩みに勝つ力　B六判　二五二頁　二〇六〇円（本体二〇〇〇円）三刷
みことばの黙想(1)創世記　B六判　一七四頁　一〇〇九円（本体九八〇円）

子どもの体力と創造力　B六判　一五五頁　一六〇〇円（本体一五五三円）
中高生へのアドバイス　B六判　一一七頁　九八〇円（本体九五一円）
結婚へのアドバイス　B六判　一六四頁　一六〇〇円（本体一五五三円）四刷
最高の生き方　B六判　九三頁　八八〇円（本体八五四円）
敬虔な生活の訓練　A五判　三一〇頁　三六〇〇円（本体三四九六円）
クリスチャンの成長の秘訣　B六判　二六九頁　二七〇〇円（本体二六二一円）
みことばの黙想⑵出エジプト記1～20章　発行予定

払込取扱票

00	横浜

口座記号	口座番号（右詰めで記入）	金額
※ 00250 ‐ ※ 1	※ 14559	※ 千 百 十 万 千 百 十 円

加入者名	※ 宗教法人地の塩港南キリスト教会	料金	特殊取扱
通信欄	※		
ご依頼人	おところ（郵便番号　－　） ※ おなまえ　様 （電話番号　－　－　）	受付局日附印	

各票の※印欄は、ご依頼人において記載してください。

裏面の注意事項をお読みください。

これより下部には何も記入しないでください。

切り取らないで郵便局にお出しください。

記載事項を訂正した場合は、その箇所に訂正印を押してください。

郵便振替払込請求書兼受領証

口座記号番号	※ 00250 ‐ ※ 1 ※ 14559
加入者名	※ 宗教法人 地の塩港南キリスト教会
金額	千 百 十 万 千 百 十 円 ※
ご依頼人	おなまえ ※ 様
料金	（消費税込み） 円
特殊取扱	

受付局日附印

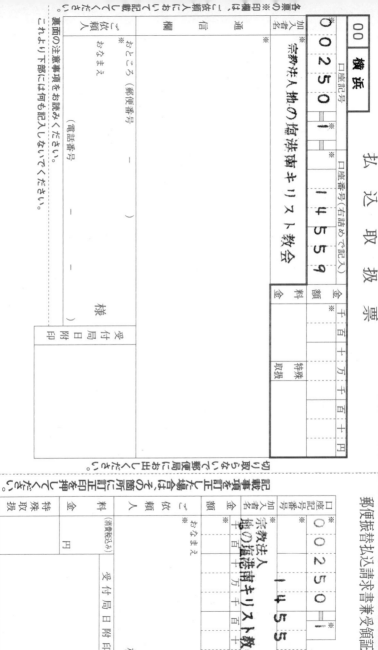

（ご注意）

・この用紙は、機械で処理しますので、口座番号及び金額を記入する際は、枠内にはっきりと記入してください。

　また、本票を汚したり、折り曲げたりしないでください。

・この払込請求書を郵便局の派遣員にお預けになるときは、引換えに預り証を必ずお受け取りください。

　この受領証は、郵便振替の払込みの証拠となるものですから大切に保存してください。

この払込取扱票の裏面には、何も記載しないでください。